LE CANADA ANGLAIS ET LA SOUVERAINETÉ DU QUÉBEC.
DEUX CENTS LEADERS D'OPINION SE PRONONCENT
de Michel Sarra-Bournet
est le cinq cent cinquante-troisième ouvrage
publié chez
VLB ÉDITEUR
et le trente-huitième de la collection
«Études québécoises».

MICHEL SARRA-BOURNET

Le Canada anglais et la souveraineté du Québec

Deux cents leaders d'opinion se prononcent

Plus le jour du référendum approche, plus nous sommes inondés de déclarations ou alarmistes ou conciliantes, dans le but de faire triompher les idées véhiculées par le camp du Non. L'auteur a scruté à la loupe plus de mille coupures de presse ainsi qu'une centaine d'ouvrages, d'articles et de rapports provenant de partout au Canada. Il résulte de sa recherche un portrait des individus susceptibles d'intervenir dans le débat et dans les négociations qui suivront. Voici donc le livre qui explique pourquoi ILS vont négocier!

LE CANADA ANGLAIS ET LA SOUVERAINETÉ DU QUÉBEC

DEUX CENTS LEADERS D'OPINION SE PRONONCENT

Michel Sarra-Bournet

Le Canada anglais et la souveraineté du Québec

Deux cents leaders d'opinion se prononcent

vlb éditeur

VLB ÉDITEUR
Une division du groupe Ville-Marie Littérature
1010, rue de la Gauchetière Est
Montréal, Québec
H2L 2N5
Tél.: (514) 523-1182
Télécopieur: (514) 282-7530

Maquette de la couverture: Eric L'Archevêque

Illustration de la couverture: Olivier Lasser

Données de catalogage avant publication (Canada)
Sarra-Bournet, Michel, 1960-
Le Canada anglais et la souveraineté du Québec. Deux cents leaders d'opinion se prononcent
(Études québécoises)
Comprend des réf. bibliogr.
ISBN 2-89005-623-6
1. Québec (Province) — Histoire — Autonomie et mouvements indépendantistes. 2. Canada anglais — Attitudes. 3. Canada — Relations entre anglophones et francophones. 4. Relations fédérales-provinciales (Canada) — Québec (Province). 5. Droit des peuples à disposer d'eux-mêmes — Québec (Province). I. Titre. II. Collection.
FC2925.9S4827 1995 971.4'04 C95-941299-9
FC1053.2.S27 1995

DISTRIBUTEURS:

- Pour le Québec, le Canada et les États-Unis:
LES MESSAGERIES ADP*
955, rue Amherst, Montréal
Québec H2L 3K4
Tél.: (514) 523-1182
Télécopieur: (514) 939-0406
*Filiale de Sogides ltée

- Pour la Belgique et le Luxembourg:
PRESSES DE BELGIQUE S.A.
Boulevard de l'Europe, 117, B-1301 Wavre
Tél.: (10) 41-59-66
(10) 41-78-50
Télécopieur: (10) 41-20-24

- Pour la Suisse:
TRANSAT S.A
Route des Jeunes, 4 Ter,
C.P. 125, 1211 Genève 26
Tél.: (41-22) 342-77-40
Télécopieur: (41-22) 343-46-46

- Pour la France et les autres pays:
INTER FORUM
Immeuble PARYSEINE
3, allée de la Seine
94854 IVRY Cedex
Tél.: (1) 49.59.11.89/91
Télécopieur: (1) 49.59.11.96
Commandes: Tél.: (16) 38.32.71.00
Télécopieur: (16) 38.32.71.28

Dépôt légal — 3e trimestre 1995
Bibliothèque nationale du Québec
ISBN 2-89005-623-6

À mon fils Renaud

REMERCIEMENTS

Je tiens à exprimer ma gratitude à quelques collègues, dont Christian Dufour de l'ENAP, Guy Laforest de l'Université Laval et Alain Noël de l'Université de Montréal, pour leur avis et leurs conseils. Je suis particulièrement reconnaissant envers Alain-G. Gagnon de l'Université McGill, Josée Legault de l'UQAM et François Rocher de l'Université Carleton qui ont accepté de revoir des parties du manuscrit. Bien entendu, j'assume l'entière responsabilité de toute erreur, omission ou mauvaise interprétation qui pourrait subsister dans cet ouvrage.

Je remercie également Lucien-Pierre Bouchard, Julie Boulanger, Sarah Cliche, Sylvain Gauthier et Normand Saey pour leur assistance.

Merci à Jacques Lanctôt et Robert Comeau, respectivement éditeur et directeur de la collection «Études québécoises» chez VLB, pour leur confiance, leur appui et leur collaboration, ainsi qu'à Josée Tétreault, Jocelyne Dorion et Régis Normandeau pour leur professionnalisme.

M. S-B.
Laval, le 8 septembre 1995

Nous ne devons craindre qu'une seule chose: c'est la peur elle-même.

FRANKLIN DELANO ROOSEVELT

LISTE DES ABRÉVIATIONS

AN: *L'Acadie Nouvelle*, Caraquet, Nouveau-Brunswick
CH: *The Calgary Herald*, Calgary, Alberta
DEV: *Le Devoir*, Montréal, Québec
DRO: *Le Droit*, Ottawa, Ontario
EJ: *The Edmonton Journal*, Edmonton, Alberta
ET: *The Evening Telegram*, St. John's, Terre-Neuve
FP: *The Financial Post*, Toronto, Ontario
GAZ: *The Gazette*, Montréal, Québec
GM: *The Globe and Mail*, Toronto, Ontario
HCH: *The Chronicle-Herald*, Halifax, Nouvelle-Écosse
JM: *Le Journal de Montréal*, Montréal, Québec
LP: *The Leader-Post*, Regina, Saskatchewan
OC: *The Ottawa Citizen*, Ottawa, Ontario
OS: *The Ottawa Sun*, Ottawa, Ontario
PRE: *La Presse*, Montréal, Québec
SOL: *Le Soleil*, Québec, Québec
TC: *The Times-Colonist*, Victoria, Colombie-Britannique
TS: *The Toronto Star*, Toronto, Ontario
VS: *The Vancouver Sun*, Vancouver, Colombie-Britannique
WS: *The Windsor Star*, Windsor, Ontario
WFP: *The Winnipeg Free Press*, Winnipeg, Manitoba

INTRODUCTION

Prévoir l'imprévisible

Quand les Québécois parlent du Canada, ils négligent trop souvent de puiser dans des sources canadiennes-anglaises. Cela est encore plus vrai lorsqu'il est question de la souveraineté du Québec. Pourtant, la réaction du Canada anglais, qu'elle soit réelle ou imaginaire, est une des variables susceptibles d'influencer le choix de la partie de l'électorat québécois qui n'a pas encore pris de décision définitive en vue du référendum sur la souveraineté.

Mais la campagne référendaire sera l'occasion d'une surenchère verbale des ténors du Canada anglais qui tenteront d'infléchir le choix des Québécois dans le sens du fédéralisme, en exagérant soit les conséquences néfastes de l'option souverainiste, soit les possibilités de restructuration du Canada.

À l'aube d'une décision importante sur l'avenir des relations Québec-Canada, il importe de mettre à jour et d'améliorer notre connaissance de nos «partenaires canadiens» afin de la mettre au service d'une meilleure compréhension des enjeux référendaires. Il serait regrettable qu'une méconnaissance de l'autre vienne fausser le jeu démocratique ou miner le processus post-référendaire.

Les Canadiens anglais ont nécessairement des opinions au sujet de l'accession à la souveraineté du Québec, puisque cet événement conduirait à un changement majeur de la structure de leur pays. D'un autre côté, ce qu'ils pensent des lendemains d'un OUI nous concerne également. Non pas tant qu'il faille savoir s'ils sont d'accord ou non avec la souveraineté — ce serait leur donner un droit de veto sur notre autodétermination et ouvrir la porte à tous les chantages durant la campagne référendaire —, mais il importe que nous connaissions leur vision des relations Québec-Canada au lendemain du référendum afin de préparer les négociations qui s'amorceraient nécessairement entre les pays voisins.

Quelle est donc la position des Canadiens anglais? Les Québécois ont malheureusement fort peu écrit sur les courants de pensée au Canada anglais. Jusqu'à tout récemment, *Le long malentendu. Le Québec vu par les intellectuels progressistes au Canada anglais* de Serge Denis (1992) et *OKA: dernier alibi du Canada anglais* de Robin Philpot (1991[1]) étaient les seuls ouvrages en français traitant uniquement du Canada anglais. Ils sont certes très instructifs, mais tous deux ont quelque peu perdu de leur pertinence depuis leur parution.

Le premier livre traite de la gauche canadienne-anglaise devant la question nationale. Or aujourd'hui, cette gauche se retrouve affaiblie par plus d'une décennie de néolibéralisme. En outre, elle n'arrive plus à s'identifier à la cause québécoise qu'elle ne parvient plus à relier à la domination capitaliste. Le journaliste torontois Jeffrey Simpson décrit cette rupture avec une pointe d'ironie:

> L'Accord de libre-échange, la «dernière trahison» du Québec, a supprimé la perspective qu'un projet national durable puisse être élaboré conjointement par le nationalisme canadien-français, qui se méfiait de la centralisation, et les *gauchistes de fauteuil* [en français dans le texte], pour qui la centralisation gouvernementale offrait la meilleure protection contre les États-Unis et leur insatia-

1. Pour faciliter la lecture, les éléments importants des références bibliographiques sont donnés dans le texte. En ce qui concerne les articles de journaux, la note comprend le nom du journal et la date de parution. On retrouvera la référence complète dans la première partie de la bibliographie, suivant un classement des articles par dates pour chacun des quotidiens. Pour ce qui est des références aux monographies et aux autres articles, la note comprend le nom de l'auteur, l'année de parution de l'ouvrage et le numéro de la page. La référence complète se trouve dans la seconde partie de la bibliographie.

> ble capitalisme. [...] [Ces *gauchistes*] comprirent que l'intérêt «national» du Québec était différent de celui du reste du Canada. (Jeffrey Simpson, 1993: 58[2].)

Dans son livre sur la crise autochtone de 1990, Philpot fait état du profond sentiment de satisfaction qu'ont ressenti de nombreux Canadiens anglais devant les difficultés éprouvées par les autorités québécoises aux prises avec des groupes autochtones armés. Mais depuis la crise d'Oka, des actes de désobéissance civile ont aussi été commis au Canada anglais et on s'aperçoit aujourd'hui qu'un potentiel de violence existe également là-bas.

Bref, devant cette absence d'ouvrages québécois récents sur les opinions du Canada anglais, qui donc est en mesure de nous donner l'heure juste? Jusqu'à présent, nos perceptions ont été modelées par les politiciens et par la presse. Rares sont les leaders d'opinion canadiens-anglais qui ont réussi à s'adresser directement aux Québécois, leurs analyses n'étant que rarement publiées en français. Tout indique donc que notre perception de la réalité serait considérablement déformée.

Peu importe le parti qu'ils représentent, les politiciens québécois décrivent un Canada anglais conciliant à l'endroit de leur propre option politique et dur envers celle de leurs adversaires. D'une part, les souverainistes affirment que le Canada anglais négocierait une association économique avec un Québec souverain, mais qu'il refuserait d'envisager toute réforme fondamentale de la structure du Canada. Au début de cette année, par exemple, le gouvernement du Québec brandissait un sondage Léger et Léger à l'appui de cette thèse (voir *DEV* et *TS*, 8 février 1995).

D'autre part, les fédéralistes soutiennent que si les Québécois votent OUI à la souveraineté, le Canada anglais réagira extrêmement mal, mais que s'ils votent NON, il serait prêt à songer à des réaménagements de la structure du pays. Eux aussi invoquent des sondages pour appuyer leurs dires,

2. Signalons ici que toutes les citations tirées de textes anglais sont des traductions libres. Des paraphrases, insérées entre crochets ([ ]), sont utilisées dans le but d'alléger le texte.

comme ceux que les maisons Angus Reid et Environics ont publiés à la même période (voir *PRE*, 24 décembre 1994, *DRO*, 9 février 1995, et *DEV*, 10 février 1995).

Si, dans l'ensemble, les politiciens du Canada anglais ont été exclus des sources que nous avons retenues, c'est parce qu'ils ont tendance à diriger l'opinion locale contre le Québec pour des raisons électorales. Comme on le constatera au chapitre premier, des premiers ministres provinciaux qui, prochainement, solliciteront des renouvellements de mandat ont commencé, dès le milieu de 1994, à lancer des propos incendiaires sur la question du Québec.

D'autre part, les journalistes du Québec ont souvent tendance à ne retenir que les opinions extrêmes, sensationnelles, comme les scénarios de démembrement du territoire, les rumeurs de guerre civile et les sondages-chocs révélant une position radicale ou inattendue. Dans certains cas, des rumeurs provoquent des ripostes véritables, et la réalité dépasse la fiction. On se retrouve par conséquent face à des manchettes du genre «Parizeau dénonce l'idée de "faire souffrir" un Québec qui dirait Oui», alors que personne n'avait émis la moindre intention à ce sujet (voir *PRE*, 17 mars 1995*a*, et *GAZ*, 23 mars 1995).

Les porte-parole canadiens-anglais qui réussissent à franchir les barrières linguistique, politique et médiatique pour s'adresser directement aux Québécois sont trop peu nombreux pour que leur production soit représentative de l'ensemble du spectre idéologique canadien-anglais. *La sécession du Québec et l'avenir du Canada* par Robert Young (1995) et *Des comptes à rendre* par John Conway (1995) font partie de ces exceptions; ils représentent seulement la fraction modérée de l'opinion canadienne-anglaise. Des opinions beaucoup plus radicales circulent, et ce sont elles qui risquent de se faire entendre durant la campagne référendaire et au lendemain d'un OUI.

Dans de telles circonstances, comment appréhender le discours du Canada anglais en cette année référendaire? Pour éviter la désinformation par les politiciens québécois, le chantage par ceux du reste du Canada et la sélection douteuse des journalistes, ne devrions-nous pas nous abreuver à la source?

En présentant l'éventail des opinions exprimées au cours des dernières années dans le reste du Canada au sujet de la souveraineté du Québec, ce livre de référence a pour objectif de fournir de la matière à réflexion aux électeurs québécois, afin de les prémunir contre toute influence indue d'un certain Canada anglais durant la campagne référendaire et contre le choc que pourrait engendrer une montée des boucliers advenant un OUI.

À partir d'un corpus composé de plusieurs centaines de coupures de journaux, de dizaines de livres et d'articles et de rapports et provenant de partout au Canada, nous allons donc jeter un regard global sur ce qu'ont écrit les leaders d'opinion canadiens-anglais entre 1990 et 1995. Nous y verrons comment chacun des enjeux qu'engage la souveraineté du Québec a été traité au Canada anglais. Du droit du Québec à l'autodétermination à l'association économique, en passant par l'ALENA et la question des frontières, ce livre fait état des opinions exprimées par des universitaires, des journalistes, des gens d'affaires, des ex-politiciens — les leaders d'opinion du Canada anglais (pris au sens de «reste du Canada[3]») — au sujet de la souveraineté du Québec jusqu'à la veille de la campagne référendaire.

Les années 1990 à 1995 sont marquées par une triple prise de conscience au Canada anglais: celle du caractère irréconciliable des projets politiques du Québec et du Canada anglais, quels qu'ils soient, celle de l'éventuelle séparation politique du Québec et celle de l'existence possible d'une «société distincte» canadienne-anglaise. Un signe tangible de ce phénomène est la parution de nombreux ouvrages qui, pour la première fois, évoquaient des scénarios post-référendaires selon lesquels le Canada anglais et le Québec devenaient des pays distincts.

Certains événements politiques ont conditionné cette évolution des mentalités et des attitudes. En juin 1990, l'échec de l'accord du lac Meech a relancé le mouvement souverai-

3. Cette règle souffre quelques exceptions. Certains anglophones nés au Québec sont cités dans cet ouvrage. C'est le cas, par exemple, de David Bercuson, Barry Cooper, Stanley Hartt et Philip Resnick. Les propos de certains Québécois anglophones, comme Jonathan Lemco, Peter White et Matthew Coon-Come, et même francophones, comme Jean Chrétien et Pierre Trudeau, sont également rapportés parce qu'ils expriment des opinions qui ont cours dans le reste du Canada.

niste québécois et a cristallisé une nouvelle culture politique canadienne-anglaise fondée sur la Charte canadienne des droits et libertés de 1982.

La fondation, en 1990, d'un parti fédéral souverainiste, le Bloc Québécois, le rapport Bélanger-Campeau sur l'avenir politique et constitutionnel du Québec, le rapport Allaire des libéraux québécois et l'adoption en 1991 du projet de loi 150 prévoyant un référendum sur la souveraineté ont souligné l'écart grandissant entre les aspirations politiques du Québec moderne et la capacité du Canada de s'y adapter. La négociation *in extremis* de l'accord de Charlottetown (dans le but d'éviter que ne se tienne au Québec un référendum sur la souveraineté) et son rejet par la majorité des autochtones, des Québécois et des Canadiens anglais ont confirmé cette impasse.

L'élection, en octobre 1993, de 54 députés du Bloc Québécois, sur les 75 députés que compte le Québec à la Chambre des communes du Canada, les voyages de son chef Lucien Bouchard aux États-Unis, au Canada et en France l'hiver et le printemps suivants, l'élection du Parti Québécois en septembre 1994 et le voyage subséquent de Jacques Parizeau à Paris ont donné une impression de mouvement inéluctable vers la souveraineté, et ce malgré des résultats de sondages fluctuants.

Ainsi, durant ces cinq dernières années, la réflexion des Canadiens anglais a été alimentée par des événements qui leur ont fait prendre conscience de la possibilité qu'un jour le Québec et le Canada anglais deviendraient des entités politiquement séparées[4]. À l'exception de la courte période précédant le référendum sur l'accord de Charlottetown — alors que la rhétorique cherchait à influencer l'opinion publique du Canada tout entier — et la campagne référendaire de 1995 — où ce sont les Québécois qu'on vise —, les analyses, les commentaires et les éditoriaux que nous avons examinés sont le reflet de la véritable opinion de l'élite du Canada anglais.

Ces leaders d'opinion comprennent des experts, des journalistes et d'autres intellectuels qui s'interposent entre les

4. À cet égard, on lira avec profit la chronologie qui se trouve à la fin de l'ouvrage.

politiciens et l'opinion publique. Ces personnes se sont interrogées sur l'avenir de leur société et sur les conséquences d'un OUI au référendum. Leurs réflexions constituent le corpus de cette recherche.

Mais avant de donner la parole à ces Canadiens anglais, voyons pourquoi il devient de plus en plus ardu de bien jauger l'opinion du Canada anglais à mesure que s'approche l'échéance référendaire. Pour ce faire, je décrirai les quatre attitudes observées au Canada anglais depuis l'enclenchement du processus pré-référendaire par Jacques Parizeau en décembre 1994 et je donnerai des exemples de la radicalisation du discours à mesure que s'approche le référendum.

Entre l'«astuce» de Parizeau et le «virage» de Bouchard

L'annonce par Jacques Parizeau en décembre 1994 de la mise sur pied des Commissions régionales sur l'avenir du Québec et les développements qui ont suivi ont suscité différentes réactions qui méritent qu'on s'y arrête. Elles sont de deux ordre: les attitudes passives et les attitudes actives.

La première catégorie regroupe ceux et celles qui croient qu'il est inutile de prendre part au débat sur l'avenir du Québec, parce que la défaite des souverainistes serait inévitable. Cette attitude est apparue après la mince victoire du PQ en septembre dernier, le vote pro-souverainiste ayant chuté de 56 à 44 % depuis le référendum sur l'accord de Charlottetown en octobre 1992. Elle a été renforcée par une certaine perception du «virage» associationniste d'avril 1995. «Au Canada, affirme le professeur Robert Young, l'affaire est classée et les gens respirent, comme on peut le constater dans les conversations et dans les journaux: on prend [...] la déroute comme un fait accompli.» (Cité dans *PRE*, 15 avril 1995.) L'ex-premier ministre ontarien David Peterson parle d'un «signe de désespoir», d'un «signe de faiblesse chez les forces séparatistes» (cité dans *PRE*, 21 avril 1995). John Honderich, président du *Toronto Star*, ajoute que «la machine souverainiste est détraquée... Bon nombre de soi-disant experts annoncent la mort du séparatisme» (John Honderich, *PRE*, 15 avril 1995). Enfin, le chroniqueur torontois Andrew Coyne parle d'une «mort lente du séparatisme» (Andrew Coyne, *GM*, 24 avril 1995).

Une autre attitude passive tient à la crainte de voir l'opinion publique québécoise s'enflammer à la suite d'une intervention maladroite des politiciens du Canada anglais. Robert Young la qualifie de «consigne du silence» des politiciens, qui contraste avec les nombreuses études qu'il décortique dans son livre *La sécession du Québec*. Certains, comme la chroniqueure Barbara Yaffe de Vancouver, se plaignent de ce silence (Barbara Yaffe, *VS*, 23 janvier 1995), mais, selon Honderich, cette règle du silence est également observée par de nombreux leaders d'opinion, «pour éviter que tout commentaire soit mal interprété ou se retourne contre nous» (John Honderich, *PRE*, 15 avril 1995).

Cependant, tous n'ont pas la même retenue. Deux attitudes actives sont apparues. La première consiste à contester le processus référendaire québécois sans nier le droit de sécession du Québec. Dans la livraison du 10 janvier 1995 du *Globe and Mail*, l'éditorialiste affirmait que:

> Si les Québécois votent en faveur de la sécession — et nous croyons fermement qu'ils ne le feront pas — le reste du Canada doit respecter leur décision. [...] La véritable question est beaucoup plus importante que celle de la légalité: combien faut-il de Québécois pour approuver la souveraineté?

En 1980, la barre avait été fixée à 50 % pour un mandat de négocier la souveraineté-association. Toutefois, rétorque le journal torontois, il s'agissait là d'un référendum sur le mandat de négocier, la sécession elle-même n'étant censée se réaliser qu'après une entente avec l'État prédécesseur, le Canada, et un second référendum. Pourtant, tout au long de la campagne référendaire de 1980, les fédéralistes n'ont cessé d'affirmer que le vote portait en réalité sur la séparation du Québec.

Ce débat sombre rapidement dans l'absurdité. À quelle hauteur faudrait-il élever la barre pour que le vote soit légitime? Chacun peut y aller de son propre chiffre. Il n'y a donc pas d'autre règle que celle de la majorité. D'autant plus que si plus de 50 % des résidants du Québec veulent que cette province se détache du pays riche, démocratique et stable qu'est le Canada, ce score serait impressionnant, significatif et susceptible d'attirer la reconnaissance du nouvel État. Ainsi, selon le constitutionnaliste et député libéral fédéral ontarien Edward McWhinney, «la naissance d'un nouvel État est un événement politique déterminé par les décisions d'autres membres de la communauté internationale» (Edward McWhinney, *DEV*, 24 avril 1995).

Il semble que le «virage associatif» amorcé par le Bloc Québécois à son congrès d'avril 1995 ait placé le camp souverainiste dans une position vulnérable face au Canada anglais. En tentant de rassurer les Québécois hésitants, le projet d'union économique et politique a ouvert la porte à un certain chantage. Edward McWhinney écrit qu'en matière de reconnaissance internationale, «l'attitude de l'État-souche est déterminante» (Edward McWhinney, *DEV*, 24 avril 1995). Tout comme en 1980, plusieurs diront que les Canadiens anglais ne négocieront pas et ne reconnaîtront pas le Québec.

Le «virage» lui-même sert de prétexte pour mettre en doute la validité d'un OUI. Un professeur d'histoire d'Ottawa écrit:

> Le premier ministre Parizeau et son cabinet se sont laissé convaincre par Lucien Bouchard et par les sondages qu'il fallait camoufler ce choix difficile afin d'attirer un «vote stratégique» en appui à une déclaration unilatérale d'indépendance qui suivrait le référendum, si le Canada rejetait l'offre généreuse d'une union politique et économique à l'européenne. (Michael Behiels, 1995: 9.)

Ce à quoi John Honderich ajoute:

> Si vous croyez que les événements récents ont suscité la méfiance chez les Québécois, imaginez la réaction ailleurs au pays. Pourquoi le Canada anglais voudrait-il entreprendre des négociations après avoir été témoin d'un tel cynisme? (John Honderich, *PRE*, 6 mai 1995.)

Or, si on exclut une grossière manipulation des politiciens ou un grave incident provoquant un soulèvement populaire, ce qui est improbable, une telle réaction étant étrangère à la culture politique canadienne, c'est la *realpolitik* qui prévaudra selon les souverainistes: le Canada respectera un état de fait viable, stable et potentiellement reconnu par la communauté des nations (voir *DEV*, 20 janvier 1992).

Par la suite, les équipes de négociation des deux pays défendront leurs intérêts respectifs, et des universitaires spéculent déjà sur les résultats de leur travail. Dans une étude réalisée à la demande de l'Institut de recherche en politiques publiques (IRPP), François Rocher signale que le Canada ne pourra accepter moins qu'une union douanière dans le but de préserver l'espace économique canadien actuel (François Rocher, 1995). Cependant, Pierre Martin constate que l'opinion publique canadienne-anglaise serait réfractaire à l'idée d'aller plus loin que cela (Pierre Martin, 1995).

Par conséquent, les nationalistes modérés peuvent être confiants de ne pas assister à une rupture complète des ponts. De leur côté, les purs et durs de l'indépendance du Québec n'ont pas à craindre que l'entente entre le Parti Québécois, le Bloc Québécois et l'Action démocratique du Québec, qui prévoit que la souveraineté du Québec s'accompagnera d'une offre de partenariat avec le Canada, n'aboutisse à une reconstitution du Canada.

La leçon de 1980 est encore fraîche dans la mémoire des fédéralistes: «La proposition récente ressemble affreusement à l'idée inapplicable de souveraineté-association de la dernière bataille référendaire», écrit l'éditorialiste du *Financial Post* le 22 avril 1995. Certains prétendent que la proposition d'une association entre le Canada et le Québec est une stratégie pour inciter le Canada anglais à rejeter une fois de plus le Québec et pour faire monter d'autant la fièvre souverainiste, comme ce fut le cas après la non-ratification de l'accord du lac Meech en 1990. Mais tout comme en 1980, lorsque, durant la prochaine campagne référendaire, les Canadiens anglais préviendront les Québécois de l'impossibilité d'une quelconque association, cela aura pour effet de les pousser à voter NON, car ils veulent préserver les acquis de l'espace économique canadien. Il est donc fort peu probable que le «virage associatif» constitue une tactique de provocation.

La stratégie du «virage» du camp souverainiste vise plutôt à rassurer les Québécois en tentant de forcer le Canada anglais à dire ce qu'il est prêt à accepter comme forme d'association. On s'emploie à susciter des déclarations qui pointent dans la direction du libre-échange ou du marché commun. Mais beaucoup d'adversaires de la souveraineté voudront profiter du sentiment d'insécurité économique des Québécois pour se lancer dans des prévisions apocalyptiques.

Ainsi, la seconde attitude active n'est pas nécessairement nouvelle. Elle consiste à brandir la menace d'une catastrophe économique, en cas de tentative de sécession, de manière soit discrète, comme le fait l'Institut C. D. Howe, ou directe, comme le fait l'Institut Fraser.

Le Canada anglais à l'approche du référendum

Depuis le début de 1995, le discours se radicalise au Canada anglais. Ce qu'on a vécu en 1992 lors de la campagne référendaire sur l'accord de Charlottetown semble se reproduire cette année: on cherche par tous le moyens à influencer le choix des Québécois.

Prenons d'abord l'exemple extrême de la Banque Royale un mois avant le référendum de 1992 sur l'accord de Charlottetown. À cette époque, son service économique publiait en anglais et en français un rapport alarmiste intitulé *Unité et désunion: analyse économique des avantages et conséquences*. Dans ce document, on prévoyait un désastre économique pour le Québec et pour le Canada anglais advenant la souveraineté du Québec. On laissait ainsi entendre que c'est ce qui se produirait si l'accord de Charlottetown était rejeté. Le rapport donna lieu à un mouvement de protestation chez les souverainistes. Mais il fut également mis en doute par d'autres commentateurs (voir *PRE*, 28 septembre 1992, et *OC*, 18 octobre 1992).

Des faits encore plus troublants nous rappellent le «coup de la Brinks» durant la première campagne électorale du Parti Québécois, en avril 1970. Quelques mois avant le référendum d'octobre 1992, le président de la Banque Royale, Allan Taylor, avait lancé un message alarmiste sur l'avenir du Canada dans un discours prononcé devant les actionnaires de son institution en se servant d'arguments semblables. De deux choses l'une: ou bien il avait déjà les données en main en janvier et en a retardé la publication jusqu'au moment opportun, ou alors il s'est fait fabriquer un rapport étayant sa propre opinion (voir *DRO*, 24 janvier et 22 février 1992). Dans un cas comme dans l'autre, son objectif était d'influencer le vote des Canadiens et des Québécois en faveur de l'accord de Charlottetown.

Dès le début de 1995, à l'approche du référendum sur la souveraineté du Québec promis par Jacques Parizeau, on retrouve des exemples semblables de radicalisation du discours canadien-anglais. L'Institut C. D. Howe a entrepris la publication d'études portant sur certains aspects des relations Québec-Canada dans l'hypothèse d'un OUI. Certaines d'entre elles reprennent des thèmes déjà abordés par l'Institut dans sa série «The Canada Round» publiée en 1991 et 1992 après la débâcle de Meech, mais en des termes beaucoup plus durs. Considérons l'exemple de l'étude de William Robson sur l'usage du dollar canadien par un Québec souverain: il y a quatre ans, il écrivait que le scénario le plus souhaitable était la préservation de l'union monétaire (David Laidler et William Robson, 1991: 32, 37-38); en 1995, il prétend que la «panique» des investisseurs rendrait cette opération impossible (William Robson, 1995: 18).

Angela Ferrante de l'Institut C. D. Howe a avoué cette volte-face sans toutefois l'expliquer:

> Il y a trois ans, nous avons écrit que rien n'empêcherait un Québec indépendant d'utiliser le dollar canadien. Cela a choqué plusieurs personnes à Ottawa. De son côté, M. Parizeau s'est déclaré «ravi». (Angela Ferrante, citée dans *PRE*, 17 mars 1995*b*.)

En fait, si C. D. Howe faisait valoir la faisabilité de la souveraineté en 1992, c'était pour contraindre les fédéralistes à voter OUI à l'entente de Charlottetown. En 1995, il cherche à apeurer les Québécois pour les détourner de la souveraineté. Gordon Gibson, un commentateur politique de la côte du Pacifique, déplore cette attitude:

> Il est vrai que si le Québec votait «OUI», nous pourrions devenir assoiffés de sang, et nous pourrions engendrer

> un carnage politique et économique illimité. Mais pourquoi faire cela? Ne devrions-nous pas plutôt tirer le meilleur parti possible de la nouvelle réalité? (Gordon Gibson, 1995: 8.)

L'Institut Fraser constitue un deuxième exemple. Dans une étude sur le fardeau économique d'un Québec indépendant, publiée juste avant l'élection québécoise de septembre 1994, on lit que le Québec économiserait beaucoup d'argent à demeurer une province canadienne, car il ne contribuerait actuellement que pour 19,28 % au service de la dette. S'il partait, il devrait régler 25,07 % de la dette fédérale. Dans ce contexte, en ajoutant sa dette provinciale:

> Un Québec indépendant passerait du 28e au 19e rang dans la catégorie des gouvernements les plus endettés, un rang derrière le Madagascar et juste devant la Jamaïque. (Robin Richardson, 1994: 33.)

Selon ces calculs, le Canada actuel se classerait au 34e rang, c'est-à-dire pas très loin derrière. Mais dans le même tableau, on trouve pêle-mêle des provinces du Canada et des pays souverains. Ces chiffres sont donc très relatifs. D'ailleurs, un calcul effectué quelques mois plus tard permettait au même auteur de conclure que:

> Un Québec indépendant serait le 21e pays le plus endetté au monde, avec une dette qui le place derrière le Liberia et tout juste devant la république arabe de Syrie. (Robin Richardson, 1995: 12.)

Ce qu'il importe de retenir de l'étude de l'Institut Fraser, c'est qu'elle amplifie indûment l'écart entre la situation financière de la province de Québec et celle d'un Québec indépendant. En effet, elle sous-estime la contribution du Québec au Trésor fédéral et exagère la part de la dette fédérale que le Québec aurait à payer.

Tout comme aujourd'hui, le Québec aurait les moyens d'assumer ses responsabilités financières. En effet, selon la firme Samson, Bélair Deloitte et Touche, un Québec souverain serait la 16e *puissance économique* au monde en mesurant son produit national brut *per capita* (cité dans *TS*, 11 septembre 1994*b*). D'autres économistes le placent encore plus haut dans l'échelle:

> Un Québec indépendant serait-il viable d'un point de vue économique? Pour y répondre simplement: oui, certainement. Le Québec posséderait une économie de la taille de celle du Danemark ou de l'Autriche. Il se classerait 13e parmi les 24 puissances économiques de l'OCDE. Nous n'avons pas de preuves sur la scène internationale que les petits pays s'en tirent moins bien que les autres. (George Fallis, 1992: 51-52.)

Dès lors, on ne s'étonne pas de ce que même le *Calgary Herald* dénonce les évaluations de l'Institut Fraser:

> L'Institut Fraser dit ce qu'il a toujours dit: si le Parti Québécois est élu et qu'il réussit de quelque façon à mener le Québec à l'indépendance, le Père Fouettard de la dette viendra le chercher et le transformera en un zombie nord-américain d'une nation du Tiers-Monde. [...] L'Institut Fraser a l'habitude d'exagérer les effets paralysants de la dette gouvernementale. (Éditorial du *CH*, 29 août 1994.)

Paul Gessel, un chroniqueur d'Ottawa, considère que les fédéralistes ne gagneront pas le référendum avec des arguments économiques, peu importe leur valeur:

> Les Québécois ne cesseront vraisemblablement pas de flirter avec le séparatisme parce qu'ils auront été affolés par des prédictions sinistres écrites dans le style des romans d'horreur de Stephen King. [...] Sans égard à leur validité, on doute que de tels arguments vont contraindre les Québécois à rester dans le Canada, pas plus qu'ils n'ont réussi à faire endosser l'accord du lac Meech par les Canadiens anglais. Le séparatisme est motivé par le nationalisme, et non pas par l'économisme. (Paul Gessel, *OC*, 22 avril 1995.)

Mais selon Patrick Monahan, un chercheur affilié à l'Institut C. D. Howe, les Québécois ne bougeront pas s'ils prennent connaissance de ces études sur les conséquences économiques de la souveraineté:

> Il n'y a pas de raison de croire que les Québécois seraient prêts à endurer les coûts et les bouleversements qu'entraînerait leur acte de sécession. Par conséquent, si on admet que les Canadiens en viennent à apprécier correctement les risques et les coûts associés à la séparation du Québec, il semble peu probable et même improbable que le Québec se séparera en fait du Canada. (Patrick Monahan, 1995: 5.)

Il convient donc de se demander pourquoi, en 1995, certaines personnes au Canada anglais modifient leur discours par rapport à ce qu'elles affirmaient au sujet de la souveraineté du Québec quelques mois ou quelques années auparavant. L'hypothèse retenue est qu'à l'approche du référendum elles ont pour objectif d'infléchir le vote des Québécois vers le NON, et non pas d'exprimer les préférences du Canada anglais en cas de victoire du OUI.

Il ne fait aucun doute que les Canadiens anglais préfèrent que les Québécois votent NON au référendum sur la souveraineté. Le sondage CROP-Environics diffusé par la Société Radio-Canada le 16 février 1995 a révélé que seulement 17 % des Canadiens hors Québec favorisaient la souveraineté du Québec ou la souveraineté-association. Mais en cas de victoire du OUI, c'est la négociation d'un accord économique avec le Québec qui constitue l'option préférée du Canada anglais, à 61 % contre 36 %. Cependant, en cas de victoire du NON au référendum, il faut retenir que la préférence du Canada anglais va au *statu quo* dans une proportion de 72 %.

Toutefois, dans le contexte pré-référendaire, la question que se pose le Canada anglais n'est pas «Qu'allons-nous faire si le OUI l'emporte?» mais plutôt «Comment faire pour que le NON l'emporte?» Dans le but d'influencer le vote des Québécois au référendum, certains porte-parole du Canada anglais feront dorénavant des affirmations parfois contraires à leurs intentions véritables. Par exemple, ils pourraient dire qu'en cas de victoire du OUI, la négociation serait longue et difficile, qu'une catastrophe économique et commerciale est appréhendée. Ou alors que si les Québécois votent NON, il sera possible de négocier un nouvel arrangement constitutionnel.

Bref, la campagne référendaire elle-même risque d'être la pire période pour juger de l'opinion du Canada anglais à l'égard de la souveraineté du Québec. De ce point de vue, les discours tenus au cours des mois et des années qui l'ont précédée sont beaucoup plus révélateurs de la véritable opinion du Canada anglais. Pour avoir une idée claire de l'attitude du Canada anglais face à la souveraineté du Québec, il faut donc se pencher sur ce qui a été dit avant le *bluff* qui caractérisera inévitablement la présente campagne.

Les souverainistes québécois répliqueront sans doute à ces attaques. Cela est tout à fait prévisible. Mais on trouvera dans les pages qui suivent les propos étonnants de Canadiens anglais qui osent contester l'opinion des prophètes de malheur. En examinant les réactions possibles au OUI à la souveraineté du Québec, le lecteur sera moins surpris par ce qu'il entendra dire par le Canada anglais, pendant et après la campagne. Il sera en mesure de juger si ce sont les positions radicales ou modérées qui sont les plus réfléchies et les plus approfondies.

CHAPITRE PREMIER

La parole aux Canadiens anglais

Le Canada anglais?

Lorsque les Québécois parlent du «Canada anglais», ils sont quelquefois reçus avec scepticisme par les premiers intéressés. Pourtant, on n'a rien trouvé de mieux pour décrire l'autre «société distincte» du Canada. Néanmoins, l'expression est de plus en plus utilisée à l'extérieur du Québec:

> L'expression Canada anglais sonne faux. Est-ce que le mot *anglais* fait référence à l'origine ethnique ou au pays d'origine? [...] Si, par Canada anglais, on entend le Canada de langue anglaise, l'expression est plus acceptable. La grande majorité des Canadiens de l'extérieur du Québec, peu importe leur origine ethnique, utilisent l'anglais comme principale langue de communication. (Philip Resnick, 1994: 21.)

> Il se peut que l'expression «Canada anglais» ennuie certains lecteurs; mais elle est la plus pratique et la plus historiquement exacte. Les faits sont clairs. Le Canada se compose de deux nations: la nation québécoise, dont le Québec constitue le foyer politique et constitutionnel; la nation canadienne-anglaise, qui dispose d'un foyer politique et constitutionnel beaucoup plus important — neuf provinces et deux territoires —, de l'hégémonie à la Chambre des communes, au Sénat, dans toutes les autres

> institutions fédérales, et qui occupe au Québec une position de minorité bien protégée. (John Conway, 1995: 19.)

Ce livre donne la parole aux habitants du Canada anglais, un pays qui s'ignore. Pour les Canadiens anglais, la «question nationale» rime avec «unité nationale». Jusqu'à tout récemment, seuls quelques universitaires osaient imaginer des scénarios qui tenaient compte de la souveraineté du Québec.

À l'occasion de la parution en anglais d'une plaquette exposant le programme politique du Parti Québécois, le rédacteur en chef d'une revue de gauche écrivait:

> Une grande part de l'actualité politique québécoise passe inaperçue dans les autres parties du pays. Cela s'explique surtout par la «lassitude constitutionnelle». [...] Les réactions à ces propositions seront révélatrices. Les premières réactions couvriront un large spectre, de la stupéfaction à la frustration, et de l'indifférence à l'incrédulité. Mais il s'en trouvera pour s'engager dans un dialogue avec le PQ. (Duncan Cameron, 1994: x, xiv.)

La souveraineté du Québec est depuis peu redevenue un sujet de discussion. Mais avant de prendre publiquement position sur les multiples enjeux qui entourent cette éventualité, il fallait considérer s'il était opportun de prendre part au débat sur l'avenir du Québec au sein de la fédération canadienne.

Éviter de provoquer

Pendant longtemps, des Canadiens anglais se sont confinés au silence, croyant que leur intervention provoquerait une réaction négative au Québec et que les leaders souverainistes pourraient en tirer profit:

> Si le reste du Canada s'oppose avec force à l'association politique avec un Québec indépendant, les souverainistes pourront utiliser ce rejet pour susciter les émotions nationalistes latentes. (Rhéal Séguin, *GM*, 26 avril 1995.)

> Il y aura de part et d'autre des déclarations visant la provocation, jusqu'à ce que nous en ayons assez du mot «Québec». Tout cela fait partie d'un plan — créer un climat d'émotion négative au Canada anglais pour qu'il en vienne à vouloir le départ du Québec (comme plusieurs le souhaitent déjà — 25 % d'après un récent sondage). Si ce sentiment devient majoritaire, nous serons des négociateurs consentants. (Gordon Gibson, *VS*, 27 septembre 1994.)

> Regardez bien Parizeau qui tentera de combattre la désillusion qui s'installera rapidement par de nouvelles manœuvres pour essayer de saboter le Canada tel qu'il existe, bloquer la coopération fédérale-provinciale et provoquer un important remous anglo-canadien partout dans le pays. Sa stratégie serait d'utiliser ce remous, et d'autres manifestations bruyantes et furieuses, pour préparer le terrain à un divorce de velours, tel que cela s'est produit en Tchécoslovaquie. (Eric Dennis, *HCH*, 24 septembre 1994.)

Pour contrecarrer cette stratégie, Peter White, président du Conseil de l'unité canadienne, lui-même Québécois anglophone, a lancé le mot d'ordre de ne rien dire ni faire qui provoquerait la colère de ses compatriotes. Il est appuyé en cela par un éditorialiste d'Edmonton:

> Les gens doivent se rendre compte que bien qu'ils aient assurément le droit de dire ce qu'ils pensent [...] ils doivent mesurer l'effet probable de ces paroles au Québec. [...] Ils doivent formuler leurs déclarations de façon à limiter leur portée. (Peter White, cité dans *CH*, 26 mai 1994.)

> La bienveillante indifférence est moins susceptible de provoquer le vote séparatiste qu'une campagne dépourvue de sensibilité accompagnée de colère, de menaces et d'ultimatums. [...] Mais que se passera-t-il si c'était insuffisant? (Allan Chambers, *EJ*, 24 mars 1995.)

La crainte du mécontentement des Québécois francophones à l'endroit des excès de langage a incité Peter White à demander aux Canadiens anglais de laisser l'initiative aux fédéralistes du Québec. Un commentateur de Vancouver abonde dans le même sens.

> On peut légitimement prévenir [les Québécois] qu'il y a des risques inhérents à l'indépendance, mais ces avertissements seraient plus efficaces s'ils venaient d'autres Québécois. (Peter White, cité dans *GM*, 23 mai 1994*b*.)

> Si nous voulons que le Canada l'emporte lors du vote, on ne doit pas aller déclarer aux Québécois en pleine période de réflexion, tiraillés dans leurs choix, qu'ils n'ont pas un mot à dire parce que la majorité anglophone et la loi détermineront leur sort, de toute façon. (Gordon Gibson, *GM*, 9 janvier 1995.)

Qu'elle soit dictée par la complaisance ou par la confiance en l'avenir, l'indifférence de plusieurs Canadiens anglais face à la «menace souverainiste» agace bien des analystes. Certains ont accueilli avec nervosité la détermination des politiciens fédéraux, et de ceux qui suivaient leur mot d'ordre, à ne pas aborder le sujet de la souveraineté:

> Peu de gens à Ottawa ou dans les gouvernements provinciaux exposeront les risques les plus sinistres d'un vote séparatiste au Québec. On ne peut certainement pas compter sur M. Bouchard et le PQ pour le faire. Nous nous exposons à une complaisance dangereuse pour l'avenir à moins que d'autres Canadiens s'expriment sur le sujet. On risque d'être alarmiste, mais le risque est encore plus grand de glisser les yeux fermés vers la tragédie. (William Thorsell, *GM*, 7 mai 1994.)

> On craint tellement d'offenser les Québécois qu'on se retrouve dans une situation absurde où personne n'ose parler d'unité nationale avec assurance. (Mel Hurtig, 1992: 303.)

> [Jean Chrétien] devrait dire qu'il a été élu pour gouverner le Canada, et non pour présider à son démembrement. S'il nous dit qu'il n'y a pas de problème, nous devrions vraiment nous inquiéter. (Roger Gibbins, cité dans *EJ*, 27 mai 1994.)

Haro sur les banques!

Profits mirobolants, politique impitoyable de rappel des prêts auprès des PME, frais de service excessifs... Les banques se demandent encore pourquoi elles sont montrées du doigt, pourquoi elles attirent tant d'agressivité et si tout cela est mérité. À l'approche d'une nouvelle fin d'exercice financier qui devrait faire ressortir d'autres profits records, les banques préparent leur réplique.

Dans sa dernière édition, la revue Le Banquier, de l'Association des banquiers canadiens (ABC), revient sur le sujet avec, en guise d'illustration, une tomate bien rouge, et bien écrasée. «Jamais les banques du Canada n'ont été autant attaquées. Elles se font accuser d[e] multiples torts, dont celui de réali[-] ser des profits exorbitants, d'exi[-] ger des frais de service excessifs[,] de se soustraire à l'impôt et mêm[e] de gêner la croissance écono[-] mique en refusant de prêter à l[a] petite entreprise.»

Par contre, à l'opposé, «les ana[-] lystes bancaires du pays et d[e]

l'exercice qui se terminera à la fin du mois, seront supérieurs, d'au moins 15 % croit-on, aux données records de l'an dernier. L'on s'attend, encore une fois, à essuyer les critiques et les complaintes, chaque hausse d'un degré des taux d'intérêt ou d'un sou des frais de service devenant une nouvelle occasion pour décrier ce «confortable oligopole». Mais cette fois, on ne sera pas pris de court. L'argumentaire

G
B

---

rant cette période. L'activité connue dans le groupe des 5 a laissé de nombreux espaces inoccupés dans les autres immeubles. Le marché locatif n'a donc pas subi de croissance réelle.»

Maintenant, au sein du groupe d'immeubles moins récents mais toujours considérés comme faisant partie de la classe A, l'espace disponible présentement est pratiquement le même que celui identifié il y a deux ans de cela. Il se maintient en effet entre 2,5 et 3 millions de pieds carrés incluant un volume

«Les contraintes du financement, a précisé M. Laurin, jumelées à une faible demande pour ces espaces plus anciens ont considérablement freiné l'activité du marché de la catégorie B. À moins que le marché locatif ne connaisse un redémarrage, la situation des immeubles de catégorie B demeurera inchangée. Seul un revirement économique pourra alimenter ce nouveau départ. Celui-ci devra aussi être accompagné de politiques d'emprunt plus généreuses de la part des institutions financières.»

E S

rstLine

lients des adjudi-
bétitives sont une
le reste des hy-
ies par l'intermé-
un numéro 1-800
ticuliers et d'en-

es paramètres fi-
lés, renforcera la
marché canadien
à l'habitation et
uille de 15 % pour
rds de dollars», a

BDM con[…] actions

BDM Alliance, f[…] hier un total de[…] du Groupe DMR, a[…]

Avec ces ajouts, […] total de 200 000 act[…] moyen pondéré de[…] offre, à 9 $ l'action[…] (dix droits de vote[…] naires de contrôle[…] d'Amdahl, une off[…] seraient converties[…]

Les modalités d[…] l'objet d'un content[…] vrait rendre sa déc[…]

x reste dans les limbes

le est présentement de plus de 15 %

PHOTO ARCHIVES

les aubaines accordées par les propriétaires d'édifices appartenant à la construction récente, pour améliorer leurs conditions.

sé de 1,1 million de pieds carrés à 411 000 pieds carrés, soit une nette amélioration de la situation de ces édifices si on se rappelle à quel point l'état de l'industrie était lamentable. Autrement dit, entre 1993 et aujourd'hui ces immeubles ont loué l'équivalent de 680 000 pieds carrés.

«Ce chiffre excède faiblement l'absorption totale du marché des catégories A et B combinées du-

variant entre 225 000 à 400 000 pieds carrés destinés à la sous-location.

C'est bien évidemment dans les édifices de la classe B que la situation s'avère désastreuse. Actuellement, le taux d'inoccupation est de 22 %, soit près de 10 % minimum au-dessus du taux dit normal. En données absolues, l'espace disponible totalise les 1,7 million de pieds carrés.

> L'avenir du pays se décide dans six mois et nous nous inquiétons du compte de dépenses de Preston [Manning]! (Allan Fotheringham, cité dans *FP*, 20 avril 1994.)
>
> Je crois que les gens en position d'autorité doivent expliquer comment [la souveraineté] affecte réellement nos intérêts. (Thomas Flanagan, cité dans *EJ*, 27 mai 1994.)

Pour ceux que la sécession du Québec révoltait, la passivité ne pouvait plus durer:

> L'impression que cela me donne, c'est qu'ils disent vouloir l'indépendance et veulent que le reste du Canada paient pour cela. Si ce sont là les conditions, comment voulez-vous que le reste du pays demeure silencieux? Je pense que nous devons tous jouer un rôle et nous exprimer. (Michael MacKenzie, cité dans *FP*, 8 juin 1994.)

Comme ce leader d'un parti anti-bilinguisme provincial:

> Le Québec n'a pas le droit de se retirer du Canada et il est temps que quelqu'un ait le courage de le dire. (Gary Ewart, cité dans *PRE*, 26 juin 1995.)

Et ce célèbre journaliste de Toronto:

> Si aucun d'entre nous ne s'exprime à haute voix, c'est nous qui méritons d'être accusés de trahison [...] pas Jacques Parizeau ni Lucien Bouchard, qui eux luttent corps et âme pour *leur* pays, le Québec. (Peter C. Newman, 1995: 57.)

L'effet Bouchard

En janvier 1994, le premier discours de Lucien Bouchard comme chef de l'opposition à la Chambre des communes a surtout rappelé au Canada anglais que les Québécois venaient d'élire 54 députés souverainistes à Ottawa. Un journal de la Saskatchewan a réagi ainsi:

> Si nous ne sommes pas prudents, l'ordre du jour de la nation sera encore déterminé par la politique intérieure

> du Québec. Nous avons eu un bref aperçu de ce qui s'en vient après que le chef de l'opposition Lucien Bouchard se fut servi de son premier discours important à la Chambre des communes pour attaquer la notion même du Canada. (Éditorial du *LP*, 25 janvier 1994.)

Ce sont ses voyages à Washington et à Toronto qui leur ont surtout révélé, dans les semaines qui ont suivi, que la souveraineté du Québec était peut-être imminente. Depuis lors, le débat n'a fait que se préciser, malgré la réticence des députés et des ministres du gouvernement libéral.

> [M. Bouchard] a mis les questions les plus précises à l'ordre du jour et je crois que cela a entraîné une réponse beaucoup plus détaillée que celle que nous avions reçue de la part des autres Canadiens anglais. (John English, cité dans *GM*, 4 juin 1994.)

> Je commence à croire que la séparation du Québec pourrait bien être — comment dire? — un *fait accompli*. [...] Il faut pardonner tous ceux qui, après avoir observé la récente traversée de l'ouest du Canada par Bouchard, pensent que la séparation est inévitable. (Les Whittington, *OC*, 10 mai 1994.)

L'effet Bouchard a même été ressenti par cet élève ontarien de neuvième année:

> En regardant une interview télévisée avec le chef du Bloc Québécois, Lucien Bouchard, j'ai compris une chose que les Québécois n'ont cessé de nous dire depuis très longtemps: qu'on le veuille ou non, le Québec a une culture distincte. [...] Le mieux que l'on puisse faire, c'est de leur souhaiter la meilleure des chances dans leur nouveau pays. Si les séparatistes ne remportent pas leur référendum, le problème ne sera pas résolu. Et si nous ne leur accordons pas les privilèges qu'ils méritent comme grande culture distincte à l'intérieur du Canada, ils se sépareront un jour. (Jehan Khoorshed, *OC*, 16 mars 1995.)

Quelques excès de langage

C'est justement l'action politique du chef de l'opposition de Sa Majesté qui a rompu la glace. Le voyage de Lucien Bouchard dans l'Ouest canadien a provoqué la colère de politiciens canadiens-anglais. Le ministre fédéral des Affaires indiennes:

> Les autochtones du Québec pourront demeurer avec le Canada si la province se sépare. Ils sont effrayés par toutes ces discussions relatives à la séparation. (Ron Irwin, cité dans *SOL*, 18 mai 1994.)

Le premier ministre de la Colombie-Britannique:

> Nous pouvons être les meilleurs amis des Québécois s'ils décident de rester, mais s'ils décident de partir, nous serons les pires des ennemis. La colère dans ma province sera immense contre ceux qui auront voulu détruire ce grand pays. Ils pensent que les choses se feront de manière civilisée. *Forget it!* Il y aura une extrême amertume et une rupture pénible. Les conséquences seront terribles pour tout le monde. (Mike Harcourt, cité dans *PRE*, 19 mai 1994.)

Le premier ministre de la Saskatchewan:

> De croire que la souveraineté puisse advenir au terme d'une aimable discussion autour d'une table, c'est rêver en couleurs. (Roy Romanow, cité dans *PRE*, 19 mai 1994.)

Mais peut-on croire des déclarations belliqueuses comme celles-là? Ainsi que le disait Jacques Parizeau, ce qui est exagéré devient insignifiant. Les premiers ministres Romanow et Harcourt ont maintes fois été vilipendés pour leurs paroles:

> Soyons honnêtes. À mon avis, ce n'est pas moins dangereux que de la rhétorique de guerre civile et cela constitue la pire façon d'entretenir des relations harmonieuses entre le Canada anglais et le Québec, peu importe l'avenir constitutionnel. (John Conway, 1994*a*: 150.)

> Leur prise de position ferme sera bien reçue parmi les électeurs de la Colombie-Britannique et de la Saskatchewan qui en ont assez d'entendre tant de voix séparatistes dans le débat sur l'avenir du Canada. Mais ils doivent également prendre en considération l'influence qu'ils auront vraisemblablement au Québec. (Éditorial du *WFP*, 20 mai 1994.)

> Vu de Québec, le Canada anglais se prépare à se déshonorer dans le dernier chapitre du débat sur «l'unité nationale», qui sera peut-être décisif. (Robert McKenzie, *TS*, 21 mai 1994.)

L'épisode Romanow-Harcourt a laissé ses traces chez leurs collègues des autres provinces, qui en ont tiré une leçon:

> Plusieurs premiers ministres provinciaux ne veulent pas être entendus en train de commenter la question de la séparation de peur d'être accusés de mettre de l'huile sur le feu. (Richard Brennan, *WS*, 3 juin 1994.)

Tant que les Québécois n'auront pas voté au référendum, les politiciens canadiens-anglais n'aborderont publiquement aucun autre scénario que celui du NON.

> Tant que les résultats du référendum ne pourront être prédits à l'avance avec assurance, le gouvernement fédéral et les gouvernements des neuf autres provinces vont agir comme si le référendum allait être défait. (Douglas Brown, 1994*b*: 7.)

> Ne rien planifier est une décision consciente, car se préparer pour cela serait une façon d'admettre la défaite. (Laurent Dobuzinskis, cité dans *FP*, 10 septembre 1994.)

C'est aussi ce qu'a indiqué le premier ministre de l'Ontario:

> Ce que je dirai de façon très directe, c'est que le gouvernement travaille très fort pour l'unité du pays. C'est la seule question à laquelle nous travaillons dans le contexte actuel. (Bob Rae, cité dans *WS*, 31 mai 1994.)

Cependant, il s'en est trouvé plusieurs pour appuyer les propos plus radicaux des premiers ministres de l'Ouest:

> Ni M. Harcourt ni M. Romanow ne menaçaient qui que ce soit. [...] Il y a longtemps qu'on aurait dû entendre des paroles directes comme celles-là. (Éditorial du *GM*, 20 mai 1994.)
>
> Au diable le bon sens, la décence et le compromis. (Peter C. Newman, cité dans *DEV*, 19 mai 1994.)
>
> Les Québécois entendent directement que s'ils choisissent de se séparer, ils auront des voisins remplis d'amertume. Les leaders séparatistes québécois sont responsables, jusqu'à un certain point, du durcissement de l'attitude au Canada anglais. Ils pratiquent une politique provocatrice. Bouchard se pavane sur la scène internationale à la recherche de promesses de reconnaissance internationale si le Québec opte pour l'indépendance. [...] Les Canadiens anglais ont cessé d'être timides, passifs et accommodants. Les Québécois ont répudié la politique du compromis. (Carol Goar, *TS*, 21 mai 1994.)

On ne peut nous empêcher de parler!

À partir de mai 1994, de plus en plus de leaders canadiens-anglais ont remis en question la consigne du silence, affirmant qu'elle était, de toute façon, inapplicable:

> Qu'est-il arrivé à la liberté d'expression? Une stratégie du silence sur la question du Québec exigerait la collaboration de 21 millions de non-Québécois et de centaines de nos plus célèbres personnalités. (Jack McArthur, *TS*, 14 septembre 1994.)
>
> Nos tentatives de défendre le Canada contre les menaces de rupture se retourneront-elles contre nous et contribueront-elles au résultat que nous redoutons par-dessus tout? J'ai du mal à accepter cette idée. (William Gold, *CH*, 26 mai 1994.)
>
> Quand j'ai vu les gens, dans les rues de Montréal, manifester contre mon pays, après l'échec de Meech, la mar-

> mite a sauté. Je suis toujours en colère contre ceux qui veulent briser le Canada, un pays de liberté et de possibilités pour tous. (David Bercuson, cité dans *PRE*, 28 janvier 1995.)
>
> Les Québécois se rendent bien compte que toute décision qu'ils prendraient relativement à l'avenir de leurs relations avec le reste du Canada aura, de toute évidence, un effet dramatique sur tous les Canadiens. [...] Nous avons également le droit de nous exprimer sur les événements qui pourraient affecter l'avenir de notre nation. (Charles Frank, *CH*, 14 septembre 1994.)

Imaginer l'impensable

Une fois la surprise passée, la réaction de certains Canadiens anglais a consisté à se préparer pour «le pire»:

> Nous sommes dans une situation où nous pourrions avoir à imaginer l'impensable. (Gordon Gibson, 1994*b*: 6.)
>
> C'est rendu tellement loin que je crois que nous ferions mieux de nous préparer. Vous voyez, j'ai fait volte-face. Il y a quelques années, je me suis battu comme un fou pour essayer de les rendre heureux... Eh bien, des tas de choses se sont produites depuis... [...] Certains diront que c'est prématuré. Mais nous avons peu de temps. Nous devons le faire. (Lorne Caughhill, cité dans *GM*, 4 juin 1994.)
>
> Quand les livres d'histoire seront écrits, je prédis qu'ils désigneront les échecs de Meech et de Charlottetown comme les tournants décisifs pour le séparatisme québécois. [...] Il n'y a pas de honte à regretter l'échec de nos dernières tentatives de sauver la nation, pas plus que de suggérer que les Canadiens de langue anglaise devraient penser à la perspective d'un pays brisé, et se préparer en conséquence. (Charles Lynch, *OC*, 12 mai 1994.)

La discussion sur l'après-référendum sert donc deux objectifs distincts. Pour les uns, il s'agit de préparer le Canada anglais à sa propre souveraineté. Ceux-là prennent une position réaliste, voire fataliste:

Si le Canada doit faire face à la réalité du départ du Québec, il sera alors trop tard pour commencer à imaginer de façon rationnelle et originale l'avenir de ce qui restera du Canada le jour où il s'en ira. (Maureen Covell, 1992: 3.)

Si le Québec s'en va, qu'arrivera-t-il? Si cela se produit, nous serons en meilleure position d'y faire face. (Gordon Gibson, *VS*, 22 février 1994.)

Tôt ou tard, une majorité de Canadiens de langue anglaise en viendront à la conclusion que la sécession du Québec est devenue inévitable. [...] Ce qui importe, c'est que les Canadiens de langue anglaise entreprennent la difficile et douloureuse transition entre chercher à préserver le Canada et imaginer la création d'une nouvelle nation canadienne «post-Québec». (David Bercuson, *GM*, 13 septembre 1994.)

La possibilité que le Québec se sépare et les problèmes potentiels que pourrait connaître le Canada anglais s'il continuait de vivre avec la Constitution actuelle sont deux éléments pour inciter les Canadiens anglais à discuter de la forme appropriée de gouvernement pour un nouveau Canada anglais. [...] J'aimerais que les provinces anglaises reconnaissent officiellement qu'on aura peut-être à construire un pays canadien-anglais. (Dan Usher, 1995: 72, 83.)

J'invite le reste du Canada à trouver sa propre personnalité. Nous devrions être reconnaissants envers les souverainistes québécois de nous y forcer. Et nous devrions nous méfier de l'industrie de l'Unité nationale d'Ottawa, qui a déjà essayé de faire échouer le débat avant qu'il ne commence vraiment. (Reg Whitaker, 1991: 19.)

Je crois qu'il est de plus en plus probable que le Québec se sépare. (Michael Walker, cité dans *TC*, 10 juin 1994.)

Je crois que le Québec sera séparé en l'an 2000. [...] [Nous devrions simplement concentrer notre attention sur la façon de déterminer les conditions du divorce], le plus tôt possible, et de la manière la plus amicale et constructive. (Jane Jacobs, 1991: 67.)

Pour les autres, il s'agit d'une prise de conscience qui les conduit directement à participer au débat politique. Mais l'ambivalence demeure. Il y a autant des risques à trop parler qu'à ne pas parler:

> Si l'Ouest devient hostile, il poussera encore plus de Québécois vers les séparatistes qui les attendent à bras ouverts. Mais une trop grande passivité céderait l'avantage à Bouchard. Le mieux que le reste du Canada puisse faire, c'est d'être tout simplement honnête avec les Québécois. (Éditorial du *CH*, 19 mai 1994.)

«Informer» les Québécois pour éviter la séparation

Discuter de la possibilité que le Québec devienne un pays souverain paraissait défaitiste aux yeux de certains. Ils décidèrent plutôt de lancer un débat sur les mérites de ce projet:

> Nous devons avoir les prévisions les mieux documentées, même si elles sont très diverses et incertaines. Sans cela, comment pourrions-nous — Québécois y compris — porter des jugements sur quelque chose qui changera nos vies pour toujours? (Jack McArthur, *TS*, 8 juin 1994.)

Certains préfèrent la persuasion à la menace pour convaincre les quelque 20 % de Québécois indécis face à la souveraineté qu'ils feraient mieux de voter NON. Les Québécois doivent savoir ce que pensent les autres Canadiens:

> Si les Québécois décident de se séparer, ils doivent comprendre parfaitement les conséquences d'une telle décision. Il est certain qu'une partie importante de ce processus consiste à savoir ce que l'autre partenaire a à dire. [...] On ne peut certainement pas obtenir un divorce sans parler à l'autre partie. (John Honderich, *TS*, 1er octobre 1994.)

> Il est désagréable d'envisager le divorce. Il est encore plus désagréable d'envisager — et de planifier — la vie

> après la grande rupture. Cela se bute à l'immense blocage mental dont souffrent les Canadiens. [...] On perd de vue un principe de la démocratie: les gens doivent être informés sur les grandes questions avant que des actes soient accomplis. [...] Plusieurs Québécois — nettement mystifiés sur ces questions — pourraient ne pas accepter la séparation s'ils connaissaient tous les arguments. D'autres pourraient avoir moins envie de dire «Laissez-les partir». (Jack McArthur, *TS*, 26 janvier 1994.)

L'auteur d'un roman à sensations qui dépeint de manière apocalyptique l'avènement d'un Québec souverain se défend de chercher à jeter de l'huile sur le feu, mais seulement de la lumière sur les enjeux du débat:

> Je ne crois pas que les Québécois puissent donner leur consentement éclairé à la séparation avant qu'ils sachent exactement ce qu'il en est. [...] Il faut en parler tout de suite, parce qu'on va en arriver là de toute façon. (William Gairdner, cité dans *DEV*, 10 mai 1994.)

Une contre-propagande fédéraliste

Pour ce quotidien de Toronto, il faut démentir la réputation de flegmatisme et de rationalité du Canada anglais, afin de contrer le message souverainiste:

> C'est une question tactique, pas une affaire de principes. Les tactiques de peur, comme de menacer d'envoyer les tanks, il n'en est pas question. Mais aborder des questions fondamentales comme le partage de la dette, la préservation d'un corridor vers les Maritimes et la négociation de liens politiques éventuels, tout cela est permis. [...] Les Québécois doivent abandonner le stéréotype du Canadien anglais qui compte ses sous sur Bay Street, qui souscrira à toutes et à chacune des demandes afin de maintenir la stabilité économique. (Éditorial du *TS*, 20 mai 1994.)

Selon ceux qui se battent afin que le NON l'emporte, le Canada anglais doit répliquer directement au discours que le Parti Québécois sert aux électeurs.

> Le gouvernement du Parti Québécois essaie de prouver que tout continuera comme avant si les Québécois empruntent la voie séparatiste. (Éditorial du *HCH*, 15 mars 1995.)

> Se confiner au silence, c'est jouer le jeu de la stratégie du PQ et du BQ qui consiste à minimiser les conséquences de la séparation. (Éditorial du *GM*, 31 mai 1994.)

> Si les Québécois sont appelés à accepter la proposition souverainiste, ils ont le droit de connaître ce qu'elle contient. Et si les séparatistes ne révèlent pas son contenu, alors le reste du Canada a l'obligation de le faire. (Éditorial du *OS*, 25 avril 1994.)

D'emblée, les études commandées par le ministre québécois délégué à la restructuration, Richard LeHir, provoquent le scepticisme. Mais en y regardant de plus près, les fédéralistes qui veulent faire flèche de tout bois y trouvent des munitions:

> Ce rapport semble faire partie de la stratégie du PQ qui consiste à tracer le portrait d'une séparation relativement simple et sans heurts. Mais un examen attentif de ces documents par les Québécois et les autres Canadiens confirme que ce ne sera ni simple ni sans douleur. (Éditorial du *FP*, 18 mai 1995.)

Mais plus le temps passe, plus les interventions de certains fédéralistes du Canada anglais glissent sciemment vers la propagande:

> Dans ce duel entre les fédéralistes et les souverainistes, les premiers doivent être prêts à jeter le discrédit sur les arguments attirants des seconds concernant le sort des frontières, le règlement de la dette, la distribution des actifs, le partage d'une monnaie commune et la signature de traités internationaux. (Andrew Cohen, *FP*, 20 mai 1994.)

> Les séparatistes ont proclamé que l'indépendance peut être menée à bien sans que l'atmosphère en soit perturbée. […] La meilleure stratégie serait de faire éclater la rhétorique séparatiste et mettre à nu ses défauts les plus évidents. (Éditorial du *FP*, 16 mars 1995.)

Le choix des sujets abordés par ceux qui veulent dissuader les Québécois de voter contre la souveraineté donne souvent à penser qu'ils misent sur la peur. Après s'être longtemps dit qu'il fallait éviter d'indisposer les Québécois en leur faisant craindre les conséquences de la souveraineté, de peur de provoquer un sentiment de rejet comme lors de l'épisode de Meech, beaucoup de Canadiens anglais seraient maintenant convaincus que c'est en fait la bonne attitude à adopter. Pour cet éminent sondeur, cette nouvelle perception expliquerait le durcissement de l'opinion canadienne-anglaise à l'endroit du Québec:

> La position qui semble progresser dans bien des milieux du Canada anglais est qu'une fièvre de colère anglophone aurait un effet négatif sur l'appui à l'indépendance. Cet argument est fondé sur le fait que beaucoup de Québécois auraient été leurrés par les assurances du BQ et du PQ que la séparation serait relativement facile. Face à la perspective de plusieurs années de tractations difficiles sur l'association économique, sur l'avenir de leurs territoires nordiques et sur le règlement des questions autochtones, les Québécois pourraient réévaluer l'attrait de l'indépendance. (Angus Reid, *EJ*, 13 juin 1994.)

D'autres commentateurs ont également évoqué l'effet dissuasif de la menace de représailles.

> On dit que la réussite de toute révolution et de toute conquête dépend de la création et de la perpétuation de deux mythes. Premièrement: la victoire des révolutionnaires ou des envahisseurs est inévitable. Deuxièmement, si ceux qui sont menacés acquiescent et capitulent paisiblement, le changement sera sans heurts. Du point de vue du lointain Ouest canadien, il semble que dans les derniers mois les révolutionnaires actuels du Québec ont perdu une bataille cruciale. On a éventré le second mythe. Même inévitable, leur révolution ne se fera pas sans déchirement. Ce sera vraiment très douloureux — pour tout le monde, évidemment — mais pour le Québec en particulier. (Ted Byfield, *FP*, 11 juin 1994.)

> L'Ouest canadien demeure remarquablement calme, presque entièrement détaché. Nos universitaires ignorent totalement leurs collègues du Québec ou publient des textes polémiques pour montrer comme nous serons cruels envers le Québec s'il continue dans cette voie. (William Gold, *CH*, 13 janvier 1995.)

> Les penseurs du reste du Canada s'occupent à élaborer des scénarios d'apocalypse au sujet de ce qui se passerait après que les Québécois auront voté sans équivoque pour l'indépendance. [...] Les prédictions les plus sombres viennent des auteurs parrainés par l'Institut C. D. Howe. (Éditorial du *WFP*, 29 mars 1995.)

Pourtant, il s'en trouve plusieurs pour croire que la peur n'est pas une arme bien utile dans les circonstances:

> Personne ne peut prétendre être compétent dans cette matière, car il n'y a de précédent sur aucune de ces choses-là. Quiconque parle avec une grande assurance des scénarios pour l'avenir... fait de la fiction, en réalité. (Desmond Morton, cité dans *GM*, 7 juin 1994.)

> Les Québécois veulent créer leur propre nation. [...] Si on se fie aux sondages, ils sont prêts à sacrifier un pourcentage de leur niveau de vie pour obtenir quelque chose qu'ils considèrent comme plus important. C'est pour cette raison que l'argument économique — jusqu'à maintenant la base de la position fédéraliste au Québec — n'est pas efficace en fin de compte. (Thomas Walkom, 1991: 362.)

S'ils ont mis un bémol au début de 1995, c'est que les ténors canadiens-anglais ont cru que la nouvelle stratégie de souveraineté-partenariat proposée par le Bloc Québécois et avalisée par le Parti Québécois et l'Action démocratique du Québec était un signe de débandade des souverainistes. Mais tous n'étaient pas aussi convaincus que la partie est gagnée pour les fédéralistes:

> La division au sein des séparatistes québécois réjouit les autres Canadiens, et le dollar remonte. Mais dans le cabinet de Jean Chrétien, les professionnels estiment qu'il

> s'agit d'un tournant important que le premier ministre doit étudier avec prudence. (Rosemary Speirs, *TS*, 13 avril 1995.)
>
> La plupart des Québécois, de toutes les origines linguistiques et ethniques, ont clairement démontré que la souveraineté qui satisfait leurs aspirations est la souveraineté du Canada. Parizeau et Bouchard essaieraient maintenant de leur offrir le Canada sans la souveraineté canadienne, une atteinte à leur héritage. (Éditorial du *GM*, 21 avril 1995.)

La perspective d'une victoire du NON en a poussé quelques-uns à vouloir acheter la paix pour longtemps:

> Il est tout à fait probable que nous le gagnions sans avoir à être généreux. Mais avec une juste mesure de générosité au bon moment — en échange d'une promesse de ne plus tenir de référendum —, nous pourrions transformer le référendum en un triomphe pour nous tous. (Richard Gwyn, *TS*, 4 janvier 1995.)

De tels accès de «générosité» ne sont cependant pas généralisés:

> Entre 1987 et 1992, les Canadiens ont bien démontré leur préférence pour le *statu quo* constitutionnel. Nous n'avons aucune autre base pour débattre et combattre. (Michael Bliss, *TS*, 13 janvier 1995.)
>
> Toute tentative de contrer le séparatisme en offrant une nouvelle brochette de pouvoirs constitutionnels au Québec échouerait certainement, et d'une manière encore plus lamentable que les accords du lac Meech et de Charlottetown. Les Canadiens à l'extérieur du Québec ne sont tout simplement pas disposés à accepter un autre débat comme ceux-là. En définitive, la décision qui concerne l'avenir du Québec appartient au Québec. (Éditorial du *EJ*, 4 mars 1994.)

Enfin, circule également l'opinion selon laquelle le Québec ira de l'avant en l'absence d'une offre raisonnable:

> Le choix offert aux Canadiens anglais est parfaitement clair. On bien nous accordons au Québec un statut constitutionnel particulier au sein de la Confédération, ou bien nous consentons à la séparation à plus ou moins long terme. (John Conway, 1995: 269.)

Conséquemment à l'échec des accords de Meech et de Charlottetown, le Canada anglais, cette «nation qui n'ose pas s'appeler par son nom», comme le désigne Philip Resnick, s'est mis à réfléchir à la souveraineté du Québec. Mais il a fallu que cette possibilité devienne imminente pour que des leaders consentent à s'exprimer publiquement à son sujet. Certains ont pris le parti de se préparer à cette éventualité. D'autres ont choisi d'informer les Québécois de leur opinion. Enfin, un troisième groupe a préféré chercher à influencer ces derniers en évoquant les aspects négatifs du projet souverainiste. Nous passerons bientôt leurs arguments en revue. Mais avant, voyons ce qu'on a pu dire sur la valeur de l'exercice démocratique que sera le second référendum sur la souveraineté à se tenir en quinze ans au Québec.

❑

Pour en savoir plus long

DENIS, Serge, «L'analyse politique critique au Canada anglais et la question du Québec», *Revue québécoise de science politique*, n° 23, hiver 1993, p. 171-209.

MCROBERTS, Kenneth, «Dans l'œil du castor», *Possibles*, vol. XV, n° 2, printemps 1992, p. 35-48.

MCROBERTS, Kenneth, «Les perceptions canadiennes-anglaises du Québec», dans Alain-G. Gagnon, *Québec: État et société*, Montréal, Québec/Amérique, 1994, p. 107-123.

ROCHER, François et Miriam SMITH, «Le Canada anglais face à lui-même», *Possibles*, vol. XV, n° 2, printemps 1992, p. 49-61.

CHAPITRE II

Le droit des Québécois à l'autodétermination

Le Québec peut-il accéder au statut d'État souverain par voie de référendum? Pourquoi les Québécois briseraient-ils le «meilleur pays au monde»?

La souveraineté pour quoi faire?

Cette question est la version contemporaine du *What does Quebec want?* des années soixante, à laquelle les Canadiens anglais ont fini par répondre par l'accord de Charlottetown qui a été rejeté par les Québécois. Combien de temps faudra-t-il pour leur expliquer la souveraineté? À en juger par les citations qui suivent, il semble que l'expression «Mon Canada comprend le Québec» soit bel et bien la traduction de *My Canada includes Quebec*, et non pas de *My Canada understands Quebec*:

> Pourquoi des gens du Québec veulent-ils faire sécession du Canada? Je prétends que pour les séparatistes du Québec, la question n'a rien à voir avec la liberté telle qu'on la conçoit généralement. [...] La liberté est un élément très important dans la plupart des mouvements d'indépendance nationale. Le problème pour les nationalistes du Québec, c'est qu'ils sont déjà libres. Comme

individus, il est incontestable qu'ils vivent dans l'un des pays les plus libres du monde, protégés par la règle de droit, des tribunaux indépendants et une charte des droits enchâssée dans la Constitution. [...] Même si le Canada n'a malheureusement pas été capable de reconnaître dans la Constitution le Québec comme société distincte, le Canada s'est néanmoins redéfini pour tenir compte du fait français. (David Cameron, *OC*, 10 février 1995.)

Le Québec ne peut pas alléguer la tyrannie, l'abus de pouvoir, la négation des droits démocratiques, la confiscation de la propriété, la transgression des libertés des citoyens, seulement l'existence d'un problème constitutionnel. (David Cameron, cité dans *GAZ*, 16 janvier 1995.)

Il est pour le moins étrange que le Québec décide de partir après avoir profité de vingt ans de progrès financier et économique en tant que province du Canada, et non comme pays indépendant. (Mel Hurtig, 1992: 302.)

Le total des frustrations des Québécois face au *statu quo* est hors de proportion par rapport au prix qu'ils et que nous paierons tous pour avoir brisé le Canada. (Éditorial du *GM*, 9 février 1995*a*.)

Si les Québécois sont convaincus qu'après avoir prospéré 127 ans en tant que société où le français a prédominé, à l'intérieur d'un pays florissant et tolérant, ils préféreraient être indépendants, qu'il en soit ainsi. Nous allons regretter cette perte, mais le Canada peut survivre et le fera. (Alan Freeman et Patrick Grady, cités dans *GM*, 16 février 1995.)

Les Québécois ont maintenant à choisir entre le statut de province dans un système fédéral canadien en évolution, deux langues officielles dans une société multiculturelle et une charte garantissant des droits individuels et collectifs définis, d'une part, et l'indépendance, d'autre part. (Ramsay Cook, 1994: 9.)

On avance également que la souveraineté est dépassée:

La dynamique contemporaine des allégeances culturelles et de la politique de l'identité fait que l'avenir s'op-

> pose à toutes les formes de juridictions monolithiques. (R. B. J. Walker, 1994: 36.)

D'autres reconnaissent au contraire que le projet souverainiste est légitime et même bénéfique:

> Lucien Bouchard et Jacques Parizeau sont les seuls personnages récents de la scène politique canadienne qui ont une vision d'avenir, qui ont le courage de la mettre en œuvre et qui ne craignent pas d'admettre qu'après tout la Confédération a peut-être été une erreur. (Heather Dennis, *HCH*, 19 décembre 1994.)

> La sécession du Québec signifierait la fin de ces conférences débilitantes où on cherche la quadrature du cercle constitutionnel. [...] Le Canada et le Québec s'en retrouveraient renforcés, car ils auraient laissé derrière eux l'aspect de leur cohabitation qui les affaiblit tous les deux: l'impossibilité de trouver une formule légale pour exprimer une contradiction sociale et politique bien réelle. (David Bercuson et Barry Cooper, 1991: 141.)

Enfin, il s'en trouve pour reconnaître qu'après tout ça ne les regarde pas:

> Les Canadiens anglais demandent encore, anxieux et perplexes, quel tort causé au Canada français pourrait justifier la séparation. Ce n'est peut-être pas la bonne question. Le nationalisme québécois n'est plus revanchard depuis longtemps. Ces vieilles questions ont été réglées. C'est maintenant un discours d'affirmation de soi. (Michael Ignatieff, 1993: 123.)

> La décision finale de partir ou de rester ne nous revient pas. C'est au Québec de décider. Les termes de la séparation appartiennent aux deux parties, mais pas l'acte de se séparer lui-même. (Thomas Walkom, 1991: 372.)

> Les Québécois ont maintenant assez confiance en eux et en leur société pour affirmer que c'est *eux, et non pas le reste du Canada, qui détermineront les aspects les plus importants de leur avenir*. (Tom Courchene, 1991*b*: 14.)

Let them go!

Aujourd'hui, plusieurs Canadiens anglais pensent que le départ du Québec de la Confédération canadienne serait un «bon débarras». Si certains Canadiens sont passifs à l'idée de la sécession du Québec, c'est qu'ils en ont assez du «problème québécois»:

> Nous en avons assez de voir le Québec à l'avant-plan et nous préférerions voir le Québec s'en aller que d'endurer cette situation encore pour des années. (Rafe Mair, cité dans *FP*, 20 avril 1994.)

> Le message que j'ai entendu au cours des dernières semaines dans l'Ouest canadien est le suivant: «Qu'ils s'en aillent!» Le sentiment d'irritation et d'exaspération est palpable. Les gens veulent que la question du Québec soit résolue une fois pour toutes. Et plusieurs ne voient pas d'autre solution que le départ du Québec. (William Johnson, *GAZ*, 23 novembre 1994.)

> Les gens d'ici ne sont pas prêts à faire des concessions ou des sacrifices majeurs pour garder le Québec au sein du Canada, et les *Let them go* («laissez-les partir») se font souvent entendre en Colombie-Britannique. (Vaughn Palmer, cité dans *JM*, 25 août 1994.)

> Le destin probable du reste du Canada est comme une terre inconnue. Le Canada anglais a toujours fait le pari que le Québec ne partirait jamais vraiment. Mais en plus, il a émis l'hypothèse étrange que si cela se produisait, rien ne changerait vraiment pour nous autres. C'est ce que croient les tenants du «laissez-les partir». (Gordon Gibson, *VS*, 22 février 1994.)

Le mouvement *Let them go!* met l'élite politique en furie, car il est associé à une attitude négative à l'endroit des politiciens:

> Les Canadiens ont «anéanti» leurs élites, vous vous rappelez? Pendant ce funeste référendum sur l'accord de Charlottetown en 1992. [...] Tous ceux et celles qui savaient quelque chose de leur pays, qui étaient familiers

> avec les problèmes et avec les particularités d'une fédération, ont été répudiés. À la place, il semble qu'il y en ait plusieurs parmi nous qui soient contents de dire: «OK, laissez-les partir. Et puis après? Tout va bien.» (William Gold, *CH*, 4 janvier 1995.)
>
> Je suis terrifiée par la naïveté de ceux dans le reste du Canada qui disent simplement «laissez-les partir». Nous serons tous plus pauvres si cela se produit. [...] Un pays qui choisit délibérément d'être plus petit prend une décision stupide. [...] Je prédis un minimum de dix ans de chaos après une tentative de séparer le Québec. (Kim Campbell, citée dans *GM*, 20 mars 1995.)
>
> Il y a de quoi s'inquiéter de la réaction du reste du pays à la rupture possible. [...] Le public canadien ne veut rien entendre à ce sujet; cela le met en colère ou alors il est indifférent au sort du Québec. Mais c'est une honte que le Canada dérive lentement vers la désintégration et que peu de gens en parlent. (Alan Toulin, *FP*, 23 avril 1994.)

Toutefois, même les partisans les plus acharnés de l'unité canadienne doivent admettre que le contexte est différent de celui de 1980, et que «l'impensable» pourrait se produire. Un observateur constate avec tristesse et amertume que, plutôt que de préparer des scénarios de renouvellement du Canada, le public canadien est:

> véritablement indécis sur ce qui est préférable pour l'avenir du pays, si bien qu'il est prêt à se représenter des images d'une espèce de Canada survivant au départ du Québec. (Dalton Camp, *TS*, 29 mai 1994.)
>
> Avec les mois qui passent, un nombre grandissant de Canadiens s'habituent à l'idée d'un Canada qui ne comprend pas le Québec. [...] Nous sommes peut-être à l'aube d'une nouvelle ère au Québec, mais les choses changent dans le reste du Canada aussi. (Charles Frank, *CH*, 14 septembre 1994.)

Il faut disposer de quelques paramètres pour imaginer ce qui nous attend, concède un député réformiste, et cela vaut autant pour le Canada anglais que pour le Québec:

> C'est l'incertitude qui nous effraie. Est-ce que nous voulons être un seul pays? Ou est-ce que nous ne voulons pas être un seul pays? Il faut absolument résoudre cette question. [...] Il y aura des gens qui diront que si [les Québécois] s'en vont, il faut les laisser aller. Mais comment allons-nous les laisser aller? Et qui fixera les règles de ce départ? (Jim Silye, cité dans *TS*, 9 juin 1994.)

Illégale, la souveraineté?

Jusqu'à tout récemment, on reconnaissait généralement que c'était aux Québécois de prendre une décision concernant leur avenir politique. Maintenant qu'approche le référendum et que l'option souverainiste a des chances de l'emporter, une école de pensée affirme que si les souverainistes sont victorieux au référendum, ce résultat ne serait pas reconnu parce que la sécession du Québec serait illégale. L'argument est que le Québec n'a le droit de se séparer qu'avec l'accord du parlement du Canada et d'un certain nombre de législatures provinciales. Selon ce raisonnement, un OUI au référendum ne pourrait, au mieux, que lancer des négociations sur l'avenir du Québec. Le Canada pourrait opposer son veto à la souveraineté du Québec, et le ferait sans doute:

> Il est à la fois simple et laborieux de procéder à la séparation du Québec par une réforme constitutionnelle: parce que le mode de révision prévoit un mécanisme, la Constitution ne fait pas obstacle à la sécession; mais le gouvernement central, les gouvernements provinciaux et, sur certaines clauses, les autochtones, auront un droit de veto sur une telle réforme. (Neil Finkelstein et George Vegh, 1992: 32.)

L'argument légaliste, dans son expression la plus directe, se lit ainsi:

> Aucune province du Canada n'a légalement le droit de se séparer sans le consentement de la Chambre des communes, du Sénat et d'au moins sept sinon toutes les assemblées législatives provinciales. Toute autre méthode constituerait une attaque contre le gouvernement

> du Canada. [...] Seuls les Canadiens, par leur gouvernement, ont le droit de décider de toutes les conditions de la rupture du Canada, du remboursement de la dette à l'occupation du territoire, selon la loi de la Constitution du Canada. (William Gairdner, *EJ*, 10 septembre 1994.)

> Si les Québécois embrassent la souveraineté au moment du référendum, le Canada sera plongé dans une crise constitutionnelle importante qui aura des répercussions internationales. La constitution du Canada ne permet pas aux provinces de se séparer. (Joseph Eliot Magnet, *DEV*, 18 juin 1994.)

> Le Québec a renoncé à ses droits lorsqu'il a joint la Confédération en 1867, tout comme les Cris l'ont fait en signant la Convention de la Baie James en 1975. (John Samuel, 1994: 53.)

On reconnaît bientôt que des négociations devraient être entreprises:

> Le reste du Canada ne pourrait utiliser la Constitution pour bloquer la volonté du Québec d'en sortir, mais les Canadiens hors du Québec auraient le droit de déterminer les termes et les conditions de ce départ. (Preston Manning, cité dans *GM*, 18 octobre 1994.)

Une autre façon de nier le droit à l'autodétermination, c'est de placer la barre très haute pour le succès d'une démarche souverainiste:

> Il est difficile d'imaginer comment effectuer la rupture du Canada sans risquer une catastrophe. [...] Il n'y a que deux façons pour le Québec de devenir indépendant: par une réforme de la Constitution canadienne ou par une déclaration unilatérale d'indépendance. [...] Une réforme pour sortir le Québec du Canada exige le consentement d'Ottawa et de toutes les provinces. La nécessité de forcer le Canada à un règlement rapide pourrait amener le Québec à préparer un calendrier de déclaration unilatérale d'indépendance. [...] Si l'Assemblée nationale du Québec adoptait une loi déclarant l'indépendance, le lieutenant-gouverneur de la province, nommé par Ottawa, refuserait de la signer [ou alors] le gouver-

> nement fédéral dépoussiérerait son pouvoir constitutionnel de désaveu des lois provinciales. (Michael Bliss, *TS*, 11 mars 1994.)

> Il n'y a qu'une seule voie légale, d'après la Constitution, pour réaliser l'accession du Québec à la souveraineté: un amendement de la Constitution suivant la procédure décrite dans la partie V de la Loi constitutionnelle de 1982. [...] La durée du processus d'une séparation constitutionnelle pourrait amener le gouvernement du Parti Québécois à envisager une voie non constitutionnelle: une déclaration unilatérale d'indépendance. (Gordon Robertson, *DEV*, 27 juin 1994.)

Il est pourtant difficile de démontrer qu'une déclaration d'indépendance est illégale en soi...

> Il est peu probable qu'on puisse démontrer qu'une résolution de l'Assemblée nationale signifiant une déclaration d'indépendance soit illégale. Bien qu'on puisse présenter cela comme une répudiation de la Constitution, les résolutions d'une assemblée législative n'ont pas à respecter les limites constitutionnelles et ne peuvent généralement pas être examinées par les tribunaux. (Neil Finkelstein et George Vegh, 1992: 32.)

Déjà, certains s'agitent pour affirmer que le Canada résistera à une déclaration unilatérale d'indépendance:

> La seule façon pour le Québec de faire l'indépendance, c'est de faire appel à son armée et à sa police pour établir et défendre ses frontières. Comme ce sera impossible de négocier légalement la séparation, il faut faire face à la solution de rechange, la déclaration unilatérale de séparation, avec tous les dangers d'instabilité et de violence qu'elle comporte. Et il faut laisser entendre clairement que le Canada ne se laissera pas dépouiller sans mot dire. (David Bercuson, cité dans *PRE*, 28 janvier 1995.)

> Je ne crois pas qu'il soit exagéré de conclure qu'une déclaration unilatérale d'indépendance provoquerait une crise constitutionnelle, politique et économique comme les Canadiens n'en ont jamais vu. (Patrick Monahan, cité dans *GAZ*, 11 janvier 1995.)

> Il semble inconcevable que le Canada décide d'acquiescer simplement à une déclaration unilatérale du Québec. Plutôt que d'accepter la déclaration unilatérale comme un fait accompli, les dirigeants canadiens en contesteraient la validité et voudraient forcer le gouvernement du Québec à changer sa décision. (Patrick Monahan, 1995: 29.)

Même si bien peu de Canadiens anglais osent envisager l'usage de la force, le recours à des mesures exceptionnelles n'est pas exclu:

> En tant que membres de l'une des plus grandes démocraties, nous avons le droit de faire tout ce qui est en notre pouvoir pour prévenir [la séparation], excepté de recourir à la force. [...] Si une importante majorité vote en faveur de la séparation, [...] nous ne manquons pas de possibilités: de la tenue d'un autre référendum à la fixation de conditions désavantageuses pour la sécession, ou, en cas de rupture unilatérale, le refus de coopérer avec le régime renégat et l'incitation des autres pays à faire la même chose. [...] Une nation qui veut survivre ne doit pas paver la voie à sa propre destruction: elle doit la rendre la plus onéreuse possible. (Andrew Coyne, *GM*, 5 septembre 1994.)

Bref, ceux-là nous promettent des ennuis:

> Il est inconcevable que nous prenions un OUI comme le signal pour rompre avec cinq siècles d'histoire. [...] Le libellé de la question, l'ampleur de la majorité seraient, entre autres, les fondements d'une contestation du vote, ou la justification d'un contre-référendum, sans parler de la possibilité d'une obstruction finement calculée. (Andrew Coyne, *GM*, 12 décembre 1994.)

> Le cabinet fédéral doit s'assurer qu'une question directe soit inscrite sur le bulletin de vote qui permettra au peuple du Québec de déterminer ses aspirations. On doit aussi exiger une majorité des deux tiers, en raison du caractère sérieux de la sécession. [...] Si deux tiers des résidants du Québec optent pour négocier son retrait, Ottawa doit alors tenir un référendum auprès des Cana-

> diens hors Québec pour voir s'ils approuvent la sécession. Encore une fois, les deux tiers doivent être d'accord. Si les négociations sont couronnées de succès, on doit alors tenir deux autres référendums, l'un au Québec, l'autre à l'extérieur, pour consacrer l'accord. (Diane Francis, *FP*, 12 mai 1994.)

> L'idée que, disons, une majorité de 52 % dans un référendum puisse déclencher la dissolution du Canada, et l'appauvrissement du Québec, est absurde. [...] Le Canada ne pourrait simplement pas abandonner une «minorité» de quelque 3,5 millions de personnes. La situation pourrait bien se présenter de telle sorte que la force de loi soit opposée au fanatisme du PQ. [...] D'une façon ou d'une autre, il devrait y avoir une seconde vérification de l'opinion des Québécois, peut-être à l'occasion d'un référendum national. (Michael Bliss, *TS*, 13 janvier 1995.)

> Dans tous les cas, il faut être deux pour se séparer, et cela empêche aussi toute stratégie de déclaration unilatérale d'indépendance. (Dalton Camp, *TS*, 18 décembre 1994.)

> Le discours séparatiste tout entier est fondé sur le postulat que seuls les Québécois ont le droit de décider de leur avenir. Cela est faux. [...] Les Québécois peuvent décider de se séparer, mais ce sont les Canadiens qui décideront des termes de la séparation. (Allan Fotheringham, *OS*, 6 mars 1994.)

> Ce n'est pas faire preuve de légalisme étroit que de demander aux Québécois s'ils veulent vivre dans un État de droit. [...] Entre autres périls, une déclaration unilatérale d'indépendance plongerait le Québec dans ce que les experts appellent un «vide juridique», ce qui est une façon douce de parler d'anarchie. [...] Alors, ils préféreront une séparation légale, et pour être légale, elle devra être négociée. (Andrew Coyne, *GM*, 23 janvier 1995.)

Toutefois, même les purs et durs admettent que l'obstruction serait difficile:

> Aucune province n'a le droit de se séparer en adoptant une déclaration unilatérale d'indépendance. Cependant, le simple fait qu'une déclaration unilatérale ne soit pas constitutionnelle ne signifie pas qu'elle ne pourrait pas

> éventuellement devenir légale dans les faits. (Patrick Monahan, 1995: 10-11.)

> Selon le droit international, [le reste du Canada] pourrait refuser d'accepter la souveraineté du Québec et continuer de demander aux résidants du Québec de payer des impôts. En pratique, toutefois, le Canada pourrait difficilement retenir un Québec qui ne veut pas rester. (John Chant, 1992: 87.)

Cela simplifierait les choses si le gouvernement canadien acceptait de reconnaître le Québec. Il négocierait dorénavant avec un pays «étranger» à travers les canaux diplomatiques:

> La séparation du Québec soulève des questions nombreuses et complexes. Puisqu'elles impliquent deux pays indépendants, elles devront être résolues en vertu du droit international, et non pas en vertu du droit interne. (Neil Finkelstein et George Vegh, 1992: 66.)

Bref, tout le monde a intérêt à négocier si le OUI l'emporte! Et si le Canada acquiesce, c'est qu'il aura accepté les résultats du référendum.

> Dans notre Constitution, il n'y a pas de dispositions permettant à une province de ramasser ses billes et de devenir indépendante. Et alors? Il n'y a également aucune disposition prévoyant la démission d'un gouvernement s'il est défait devant la Chambre des communes advenant une motion de censure. C'est pourtant une règle d'or. C'est cela la reconnaissance de la réalité politique, que la Constitution traite ou non de séparation. [...] Au lendemain d'un référendum ayant réuni une majorité de 51 % pour le OUI, si c'est ce qui arrive, les positions légales n'auront plus d'importance. (Gordon Gibson, *GM*, 9 janvier 1995.)

> Dans le prochain référendum, la décision prise démocratiquement par la majorité des participants doit être acceptée et respectée — non seulement par le Congrès du travail du Canada mais par les diverses institutions politiques et autres du pays. Si le référendum débouche sur la victoire du OUI, tout va-t-il s'arranger sans problèmes? Bien sûr que non. Ce résultat aura comme consé-

> quence des négociations sérieuses, sûrement difficiles, portant sur un grand nombre de questions, mais ces négociations devront se dérouler sur la base d'un respect mutuel et la reconnaissance d'une nouvelle réalité. (Bob White, 1995: 136.)

La reconnaissance du droit du Québec à l'autodétermination

Accepter après coup les résultats du référendum est une chose. Reconnaître d'avance le droit du Québec à l'autodétermination en est une autre. Pourtant, plusieurs l'ont déjà fait:

> Les Québécois ont le droit à l'autodétermination. Nous n'avons qu'un choix, celui d'accepter leur droit démocratique. (Richard Gwyn, *TS*, 21 décembre 1994.)

> Nous, Canadiens, croyons à l'autodétermination des nations. Il est trop tard pour soutenir que le Québec n'est pas une nation. Si les Québécois décident qu'ils veulent être indépendants, établir leur propre État-nation, c'est à eux de le faire. (Thomas Berger, 1991: 312.)

Il y a certainement quelques exceptions:

> Le droit à l'autodétermination prévu dans plusieurs des traités [internationaux que le Canada a signés] est un produit du mouvement de décolonisation qui incite les puissances coloniales à accorder l'indépendance à leurs colonies. Le droit de faire sécession n'est pas reconnu en droit international. (Joseph Eliot Magnet, *DEV*, 18 juin 1994.)

Mais leurs objections sont vite levées:

> Par delà les questions de droit international, on admet généralement, au Québec et au Canada, que, si une majorité des Québécois exprimait démocratiquement son intention de se séparer du Canada, cette décision serait respectée. (Douglas Brown, 1994*a*: 1.)

> Franchement, je n'y vois aucun inconvénient. Si le peuple du Québec veut avoir son propre pays et n'aime

pas la façon dont les choses se sont passées depuis toutes ces années, je ne vois rien de mal là-dedans. [...] S'ils décident de partir, je l'accepterai. Il faut faciliter ce départ et s'en accommoder. (Jim Pattison, 1991: 77.)

Le droit des Québécois à «l'autodétermination» est incontestable. L'argument selon lequel les Québécois ont le droit de reconsidérer leur décision de 1980 est convaincant à cause de l'échec des tentatives subséquentes (Meech et Charlottetown) de «renouveler le fédéralisme». (Richard Gwyn, *TS*, 22 mai 1994.)

Le Québec a droit à l'autodétermination [...]. [Il] réclame le droit de réaliser un des projets politiques de la francophonie, celui de l'édification d'un État francophone. (Linda Cardinal, 1995: 187-188.)

Les groupes ethniques minoritaires qui n'ont pas d'État leur appartenant où que ce soit dans le monde et qui sont majoritaires sur un territoire relativement bien défini, s'ils se considèrent comme un peuple souverain et s'ils mettent en place des institutions politiques pour gouverner un territoire, ont aussi le droit de décider s'ils veulent joindre une juridiction politique ou une autre ou d'affirmer que la leur est souveraine. (Howard Alderman, 1995: 169-170.)

Si les Québécois décidaient aujourd'hui de se définir collectivement comme souverains vis-à-vis du peuple du Canada, et s'ils voulaient que cette souveraineté soit incarnée dans leurs propres institutions et leur gouvernement dûment élu, c'est leur droit démocratique le plus strict. Plusieurs d'entre nous refuseraient de faire partie d'un Canada anglais qui leur dirait non. (Philip Resnick, 1991: 58.)

Si les Québécois décident démocratiquement de se séparer du Canada, nous devons respecter la volonté de la majorité et, de bonne foi, entreprendre des négociations sur la mise en œuvre de cette division. (Alan Freeman et Patrick Grady, cités dans *PRE*, 19 mars 1995.)

Il est évident que, si le résultat du référendum était positif, une transition pacifique et rapide vers une nouvelle relation fondée sur la souveraineté du Québec est dans l'intérêt de toutes les parties du Canada. Il est grand

> temps que le premier ministre [du Canada] réitère publiquement qu'il reconnaît le droit du Québec à la sécession. (Kenneth McRoberts, *GM*, 9 janvier 1995.)

> Souscrire avec générosité à la séparation est peut-être le seul moyen de préserver une relation convenable dans l'avenir. Il est peut-être temps de sortir le Canada du Québec. (Rick Salutin, 1991: 6.)

Quelques-uns regrettent amèrement cette attitude et tiennent ceux qui se sont exprimés ainsi pour responsables de la crise de l'unité nationale:

> Un pays dont les chefs, les rédacteurs en chef et les gens de bonne volonté se précipitent pour appuyer le droit à «l'autodétermination» au Québec, aux Premières Nations et appuient les luttes nationales dans le monde, fait preuve de cette même innocence face à l'histoire qui nous a rapprochés de la perspective d'une désintégration du Canada. (Desmond Morton, 1992: 97.)

Cependant, des commentateurs ont fait valoir que le droit du Québec à l'autodétermination aurait été reconnu en 1980 et qu'il serait maintenant trop tard pour le contester:

> En 1980, le Québec a tenu un référendum au cours duquel on a posé la question d'une province se séparant de l'union. Le gouvernement Trudeau aurait pu demander aux tribunaux de déclarer ce référendum illégal. Il aurait pu, au moins, déclarer que le gouvernement fédéral le considérait nul et sans effet. Au lieu de cela, les fédéraux se sont lancés à pieds joints dans le débat, reconnaissant du même coup sa légalité. (Rafe Mair, *GM*, 5 mai 1994.)

> Une des leçons de 1980, c'est qu'Ottawa a donné son accord tacite à l'idée qu'un OUI donnerait effet au «droit» du Québec d'entreprendre la séparation. Les trois partis politiques qui ont siégé à la Chambre des communes entre 1988 et 1993, y compris les conservateurs au pouvoir, ont implicitement ou explicitement reconnu que le Québec avait le droit (au sens de capacité) de quitter la fédération en s'appuyant sur un mandat démocratique. (Reg Whitaker, 1995: 205.)

> Quand nous avons participé à la campagne, cela voulait dire que nous en acceptions les résultats. (Joe Clark, cité dans *DEV*, 27 mai 1994*b*.)

Même le référendum sur l'accord de Charlottetown était, dans sa forme même, une sorte de reconnaissance du droit des Québécois à choisir leur régime politique:

> Le référendum [de 1992] fut l'affaire de deux nations. Le gouvernement fédéral respecta le droit du Québec de tenir un référendum selon sa propre loi sur la consultation populaire, celle qui avait régi le référendum de 1980. [...] Ainsi, la proclamation fédérale annonçant le référendum du 26 octobre 1992 s'appliqua à l'ensemble du Canada moins le Québec. (Peter Russell, 1993: 220.)

Le projet de loi déposé par le gouvernement du Québec à la fin de 1994 rencontrerait les mêmes critères:

> Le projet de loi est logique et n'en promet pas plus que le PQ ne peut en faire. Et il y a tout lieu de croire que les politiciens canadiens n'ont pas la volonté de s'y opposer. (Thomas Flanagan, cité dans Jenkinson, 1994: 16.)

C'est combien une majorité?

Certains estiment qu'il est injuste que 51 % des électeurs québécois dépouillent les 49 autres % de leur nationalité canadienne:

> La sécession est un acte extraordinaire, qui n'est sanctionné ni par la Constitution ni par les lois du Canada — qui sont aussi la Constitution et les lois du Québec. Entreprendre une telle aventure, sauf si la population du Canada y consent, constituerait un acte révolutionnaire. Et pour réussir, cela exige l'appui de l'écrasante majorité du peuple du Québec. Un simple vote à 50 % plus un en faveur de la souveraineté ne constituerait pas une «victoire» au référendum, ça voudrait dire une défaite. (William Johnson, *GAZ*, 10 mai 1994.)

> L'opinion publique indique que la plupart des Québécois croient qu'une «super-majorité» serait nécessaire, quelque chose comme plus de 60 %, et c'est certainement le reflet de l'opinion dans le reste du Canada. [...] Selon toute vraisemblance, un gain des séparatistes ne signifierait pas leur victoire. Cela ouvrirait la voie à encore plus de débats, de conflits et d'incertitude. (William Thorsell, *GM*, 17 octobre 1994.)

> Si 50,1 % des Québécois votaient en faveur de la souveraineté, cela donnerait-il à Parizeau le droit d'entraîner les Québécois — y compris les 49,9 % qui s'y opposent — hors du Canada? [...] Un référendum sur l'indépendance au Québec n'a pas plus de poids juridique qu'une résolution du conseil municipal de Toronto statuant que cette ville est libre d'armes nucléaires. [...] Toutefois, politiquement, la situation est moins claire. [...] Jusqu'à maintenant, le leaders politiques fédéralistes ont implicitement soutenu l'idée qu'un référendum exprimerait la volonté légitime des Québécois. Une telle position était facile parce que les fédéralistes gagnaient. Ils devraient maintenant commencer à réfléchir à ce qu'un tel référendum signifierait s'ils le perdaient. (Thomas Walkom, *TS*, 15 septembre 1994.)

En effet, la question qui se poserait alors serait: Est-il acceptable que 49 % des Québécois empêchent 51 % de leurs compatriotes d'accéder à la nationalité québécoise? En réalité, un consensus existe au Canada anglais sur ce qui constitue une majorité légitime:

> Depuis un certain nombre d'années, on s'entend généralement chez les leaders du Canada pour dire que si une majorité d'électeurs du Québec exprimaient leur accord pour la souveraineté, le reste du Canada devrait alors entreprendre des négociations de bonne foi avec le gouvernement du Québec pour déterminer les termes de la souveraineté. (Kenneth McRoberts, 1995: 405-406.)

Mais c'est l'ensemble des électeurs du Québec, et non pas seulement sa population francophone, qui exercerait le droit à l'autodétermination:

> Je suppose que le problème de la légalité passe, dans un certain sens, à côté de la question, parce que si les Québécois décident qu'ils ont la volonté politique de partir, personne ne pourra rien faire pour les arrêter de toute façon. (Craig Oliver, cité dans *GAZ*, 21 décembre 1994.)

> Je crois que l'on reconnaît généralement que si la majorité de la population d'une province décide démocratiquement qu'elle veut partir, et qu'elle l'a fait par un référendum qui posait une question directe, alors ce serait accordé. [...] Mon opinion sur les référendums en général est qu'il est difficile de justifier tout manquement à la règle du 50 %. (Preston Manning, cité dans *GAZ*, 14 octobre 1994.)

> Si une forte majorité de Québécois se prononçait en faveur de la séparation lors d'un référendum sur une question sans ambiguïté, le reste du Canada n'aurait d'autre choix que de reconnaître l'impératif de l'autodétermination. (Gordon Robertson, *DEV*, 27 juin 1994.)

> L'affirmation de la séparation par une simple majorité de Québécois qui voteront mettrait le Québec sur le chemin de la négociation des conditions de la séparation. [...] Le vote d'une majorité de Canadiens français du Québec n'autoriserait pas la séparation, mais il rehausserait énormément le moral des forces séparatistes, car il indiquerait qu'une majorité de *Québécois* [en français dans le texte] [...] sont en faveur de la séparation. (Howard Alderman, 1995: 169, 170.)

Le gouvernement canadien serait le principal acteur du Canada anglais à décider si la volonté du Québec est assez claire pour être acceptable. Si elle l'est, la question de la légalité de la sécession ne se posera même plus:

> Il est improbable qu'un tribunal canadien remette en question le pouvoir du gouvernement du Canada de céder du territoire à un État qui en a le contrôle effectif. (Neil Finkelstein et George Vegh, 1992: 55.)

> Si le gouvernement canadien se déclarait prêt à reconnaître le Québec comme un État indépendant, les tribunaux adopteraient probablement le même point de vue et la

> déclaration unilatérale du Québec deviendrait exécutoire. (Patrick Monahan, 1995: 12.)

> Un gouvernement fédéral qui refuserait de négocier devrait être prêt à se battre. Les Canadiens ne semblent pas le moins du monde avoir envie de le faire. Il s'ensuit que si les Québécois votent en faveur de la sécession [...] le reste du Canada doit respecter leur décision. (Éditorial du *GM*, 10 janvier 1995.)

Certains ont cherché à convaincre les politiciens fédéraux de se tenir à l'écart de la campagne, dans le but d'enlever toute légitimité au processus référendaire:

> Si le premier ministre [du Canada] est bien avisé, il s'en tiendra, au cours de la campagne référendaire, à ce qu'il a fait durant l'élection [provinciale]: il l'ignorera avec sérénité. Car s'il participe à cet exercice, dont l'objectif est la séparation, il en reconnaîtra la légitimité. (Andrew Coyne, *GM*, 5 septembre 1994.)

Mais c'est peine perdue. Jean Chrétien a déjà déclaré qu'il accepterait la volonté des Québécois:

> Nous parions sur la démocratie. Nous convaincrons les gens qu'ils doivent rester dans le Canada et nous gagnerons. Si nous perdons, nous respecterons le vœu des Québécois et nous accepterons la séparation. (Jean Chrétien, cité dans *PRE*, 26 mai 1994.)

Et le droit à l'autodétermination des autochtones?

S'il existe un droit à l'autodétermination, les autochtones du Québec entendent l'invoquer également pour négocier les meilleures conditions possible.

> Si les Québécois croient qu'ils pourront négocier l'indépendance avec Ottawa sans négocier avec nous, ils font une erreur sérieuse. Les autochtones vont jouer un rôle clé pour déterminer le statut du Québec. (Elijah Harper, cité dans *PRE*, 4 janvier 1992.)

> Nous ne voulons pas nous réveiller dans une république du Québec. [...] Si le Parti Québécois et la population du Québec pensent qu'ils peuvent se séparer du Canada et garder tout le territoire qu'ils désirent, ils auront une surprise. C'est une terre crie — nous déciderons de notre avenir. [...] Le Québec ne peut exercer son droit à l'autodétermination en niant ces mêmes droits aux Premières Nations du Québec. (Matthew Coon-Come, cité dans *OC*, 19 mai 1994.)

> Je ne crois pas qu'on puisse échapper au fait que les revendications des autochtones sont les mêmes que celles du Québec contre le Canada. Les arguments sont parallèles. (Patrick Monahan, cité dans *GM*, 30 mai 1994.)

Des observateurs canadiens-anglais ont profité de ces prises de position pour avancer que l'autodétermination autochtone était un obstacle au projet souverainiste:

> Tout argument invoqué à l'appui d'une autodétermination du Québec non négociée justifie exactement les mêmes actions de la part des autochtones. [...] Si le Canada est divisible, le Québec l'est aussi. [...] Dans un scénario extrême, chaque réserve autochtone du Québec pourrait devenir une espèce d'avant-poste ou une forteresse sous autorité canadienne, tout comme fort Sumter était un avant-poste de l'Union en Caroline du Sud en 1861. (Michael Bliss, *TS*, 20 mai 1994.)

Ainsi, l'argument du droit à l'autodétermination invoqué par les souverainistes joue également en faveur des autochtones, surtout au Québec. Au lendemain d'un OUI, le gouvernement québécois devra vraisemblablement s'asseoir avec les leaders autochtones, tout comme celui du Canada devra le faire avec les représentants du Québec:

> C'est une occasion unique pour les souverainistes d'être à l'avant-garde de l'autodétermination. Une alliance naturelle pourrait être conclue entre les peuples autochtones et les sécessionnistes de façon à respecter en priorité l'autodétermination des autochtones. [...] Une telle alliance serait historique et constituerait un aménage-

ment politique inédit et intéressant avec le Canada et le nouvel État du Québec. (Mary Ellen Turpel, 1992: 106.)

Bref, le droit à l'autodétermination du Québec est un des éléments du projet souverainiste qui posent le moins de problèmes au Canada anglais. À mesure que la possibilité d'une victoire du OUI est devenue plus plausible, ce sont les modalités de ce droit qui ont été contestées par certains. On s'est alors demandé ce qui définissait un mandat clair, mais personne n'a trouvé de substitut sérieux à la règle de la majorité. Cependant, pour diminuer les risques que soit contestée sa volonté d'être souverain, le Québec devra s'exprimer avec force et clarté. Le caractère anticonstitutionnel de la souveraineté du Québec ne sera pas invoqué pourvu que les politiciens du Canada anglais reconnaissent la volonté populaire des Québécois.

❑

Pour en savoir plus long

BROSSARD, Jacques, *L'accession à la souveraineté et le cas du Québec*, Montréal, Presses de l'Université de Montréal, 1976, p. 245-325.

DESJARDINS, Marc et Gilles LABELLE, «De la constitutionnalité de la séparation: aborder de façon "légaliste" la question de la séparation pourrait éloigner davantage le Québec du reste du Canada», *Le Devoir*, 3 février 1995, p. A7.

PAYETTE, André, «Un peu d'histoire référendaire», *Le Devoir*, 25 octobre 1994, p. A7.

TURP, Daniel, «Le droit à la sécession: l'expression du principe démocratique», dans Alain-G. Gagnon et François Rocher (dir.), *Répliques aux détracteurs de la souveraineté du Québec*, Montréal, VLB éditeur, 1992, p. 49-68.

VENNE, Michel, «Le Québec peut se déclarer unilatéralement souverain», *Le Devoir*, 30 mai 1994, p. A1.

WOEHRLING, José, «Les aspects juridiques et politiques d'une éventuelle accession du Québec à la souveraineté», *Choix, série Québec-Canada*, Institut de recherche en politiques publiques, vol. I, n° 12, juin 1995, p. 25-44.

CHAPITRE III

L'intégrité territoriale du Québec

Un Québec au territoire réduit

La thèse de la réduction du territoire du Québec a trois fondements. Le premier concerne le droit des «Canadiens français» à l'autodétermination, le deuxième, les frontières du Québec lors de son entrée dans la Confédération, et le troisième, les revendications autochtones. Mais en dernière analyse, le Québec conservera tout son territoire s'il arrive à en tenir les commandes.

L'autodétermination des Canadiens français

Un des fondements de la thèse du démembrement du Québec se rapporte au postulat selon lequel l'autodétermination est un droit accordé à un groupe ethnique:

> Les séparatistes du Québec devraient commencer à s'habituer à l'idée d'un Québec indépendant plus petit que la province actuelle. Après tout, un Québec plus petit serait tout à fait compatible avec le concept de l'autodétermination des francophones du Québec comme peuple. Ils prédominent de manière écrasante à l'intérieur des terres du Saint-Laurent qui deviendraient le cœur du nouvel État indépendant. Ce territoire comprendrait la part du lion de la puissance économique du Québec. (John McGarry, *GM*, 16 mai 1994.)

Ceux qui décrivent la situation dans ces termes ont une définition ethnique de la nation. Un réputé historien torontois affirme que «les milliers de non-francophones ne font pas partie du "peuple québécois"». La solution qu'il préconise pourrait être qualifiée de «tentation serbe»:

> Le gouvernement du Canada devrait rédiger rapidement une loi relative au référendum national qui permettrait de régulariser et constitutionnaliser le processus de sécession. [...] Nous devons donner à chaque personne vivant dans cette province les moyens constitutionnels de décider si elle veut demeurer canadienne ou joindre une république définie par l'ethnicité. [...] Les résultats les plus probables poseraient nettement moins de problèmes que ceux qui sont prévisibles après un référendum à la grandeur de la province. (Kenneth McNaught, *GM*, 13 juin 1994.)

> Nous sommes des Canadiens. Si un groupe de Canadiens veut exercer un prétendu droit à l'autodétermination des peuples et se retirer du Canada, nous devons nous demander si, comme Canadiens, nous acceptons cette proposition. Il faut alors définir quel groupe de personnes peut prétendre au droit à l'autodétermination. Ce groupe ne peut d'aucune façon être défini par les frontières provinciales qui furent tracées pour de tout autres raisons. [...] Nous pourrions demander dans un référendum: «Voulez-vous être citoyens du vieux Canada ou du nouveau [pays] francophone?» (Allan Blakeney, 1991: 32.)

On n'est pas loin du «nettoyage ethnique»:

> Il serait préférable, tant pour les Québécois que pour les non-Québécois, que les frontières soient modifiées de façon à permettre au plus grand nombre de personnes de demeurer où elles sont. Cela signifie que la frontière passerait en plein cœur de Montréal. (Ian Ross Robertson, 1991: 168.)

Les partisans du démembrement choisissent l'unité constituante qui les avantage:

> Si un référendum sur la souveraineté, ou la séparation, sert d'argument pour l'indépendance, les résultats du référendum (à l'échelle du district électoral ou du secteur de recensement) pourraient être utilisés pour négocier les frontières entre un Canada reconstitué et le nouvel État du Québec. [...] La partie ouest de Montréal (qui regroupe les circonscriptions ayant démontré le moins d'appui à la souveraineté) se retrouverait naturellement dans la bande le long des frontières de l'Ontario et des États-Unis qui continuerait de faire partie du Canada. (Linda Gerber, 1992: 23, 30.)

Si ce raisonnement avait été appliqué en 1980, près de la moitié du territoire québécois, où le vote souverainiste par circonscription a dépassé 50 %, aurait déjà négocié la souveraineté-association. Si, en 1980, 59 % des voix exprimées dans l'ensemble du Québec représentait une victoire du fédéralisme, pourquoi une majorité de OUI ne devrait pas signifier la souveraineté en 1995?

La rétrocession des territoires «donnés» par le Canada

On a aussi tenté de justifier l'éventuel démembrement du Québec en se fondant sur l'histoire de l'expansion territoriale du Canada:

> Bien qu'à peu près tout le monde accepte le droit du Québec à l'autodétermination, ce consensus s'évapore quand il est question des frontières. [...] La plupart des Canadiens anglais pensent que des régions bien définies, dans le nord du Québec en particulier, ont le même droit de choisir de quel côté elles sont dans l'éventualité d'une séparation. Et à l'appui de leur cause, ils invoquent les différentes parcelles de terre qui furent cédées au Québec par le gouvernement fédéral. (John Honderich, *TS*, 7 mai 1994.)

> Une question se posera: Qui obtiendra l'Ungava? La conclusion de cette étude est que l'Ungava est un territoire qui appartient légalement au Canada. Malgré ce droit, certains facteurs politiques et logistiques pourraient

> modifier le dénouement. Est-ce que le gouvernement en place aura la volonté politique de soutenir la position du Canada? [...] Est-ce que la perte possible des deux tiers du territoire québécois amènera le peuple du Québec à reconsidérer sa volonté d'indépendance? [...] Si le Canada veut imposer son droit sur l'Ungava et que le Québec résiste, alors que se passera-t-il? (David Varty, 1991: 60, 61.)

> Le Québec a acquis les territoires faisant autrefois partie de la Terre de Rupert parce qu'il était une province canadienne et uniquement en tant que telle. Sa compétence administrative est donc conditionnelle à la préservation de son statut de province. [...] Toutefois, nous croyons que si le Québec devenait un petit pays plutôt qu'une grande province, le reste des Canadiens s'en porterait mieux. (David Bercuson et Barry Cooper, 1991: 151-152, 157.)

> Dans le reste du Canada, on n'accepte plus le postulat qu'en tant que nation indépendante, le Québec aurait droit à la totalité du territoire qu'il possède comme province, tout particulièrement sa partie nord qui lui fut cédée après la Confédération. (Éditorial du *GM*, 20 mai 1994.)

Selon un chroniqueur spécialiste de politique provinciale, cet argument à l'appui du démembrement du Québec est imprudent:

> Rien ne favorisait plus le succès du camp souverainiste que d'orienter la bataille référendaire directement sur la protection de la langue et du territoire. [...] [Les provinces de l'Ouest] ont, elles aussi, été formées à partir du territoire fédéral au début du siècle. Même si elles n'essaient pas de suivre le Québec hors de la Confédération, l'argument selon lequel Ottawa pourrait réclamer les terres cédées auparavant pourrait se retourner contre elles advenant une future querelle au sujet des terres ou des ressources. (Robert Sheppard, *GM*, 23 mai 1994*a*.)

Ce débat n'en est pas qu'un de principes. Tout comme dans la question autochtone, c'est la propriété des ressources qui est en jeu:

> Ce que le ministre des Affaires indiennes Ron Irwin a fait lorsqu'il a assuré les autochtones du Québec qu'ils avaient, eux aussi, un droit légitime à l'autodétermination, c'est défier la revendication souverainiste de la province tout entière, dont les deux tiers du territoire ne furent cédés au Québec qu'en 1912. Comme par hasard, ces deux tiers du territoire québécois renferment le cœur économique d'une future république indépendante — les immenses ressources d'Hydro-Québec à la Baie-James. (Rick Gibbons, *OS*, 20 mai 1994.)

La rhétorique canadienne-anglaise n'est pas exempte de contradictions. On n'applique pas les mêmes critères lorsqu'on parle de territoire et d'argent. Ainsi, lorsqu'il contractait des dettes, le gouvernement du Canada agissait au nom des citoyens du Québec, ce qui rend ces derniers responsables de leurs paiements:

> L'idée selon laquelle un Québec indépendant pourrait s'en aller en reniant sa part de la dette canadienne est inconcevable. Comment les créanciers, où qu'ils soient, pourraient-ils avoir confiance en un gouvernement qui n'éprouve aucun scrupule au sujet des dettes contractées au nom de ses citoyens? (John Honderich, *TS*, 18 février 1995.)

Alors, pourquoi ne pas appliquer la même règle à la question territoriale? Lorsqu'en 1869 le Canada a acquis des territoires qu'il a ensuite «donnés» au Québec en 1898 et 1912, ne le faisait-il pas aussi au nom des citoyens du Québec? S'il est vrai que le Québec est responsable d'une partie de la dette canadienne, il s'ensuit qu'il est propriétaire d'une partie de la Terre de Rupert qui fut partagée entre les membres de la fédération.

L'argument autochtone

Des porte-parole autochtones font souvent allusion à la possibilité qu'ils refusent de se joindre au nouvel État du Québec:

> Les peuples autochtones ne peuvent être transférés d'une souveraineté (la Couronne fédérale) à une autre

> (un État québécois indépendant) comme s'ils étaient des biens. (Mary Ellen Turpel, 1992: 102.)
>
> Aucune annexion de nos personnes ni de nos territoires à un Québec indépendant ne se fera sans notre consentement. [...] La sécession est une question qui ne peut être réglée sans que les peuples autochtones concernés y consentent aussi. [...] Ce que nous voulons voir reconnu *au préalable*, c'est notre droit de choisir entre maintenir et développer notre statut à l'intérieur du Canada, ou sauter dans le canot du Québec et nous lancer dans les rapides avec lui. [...] Nous ne nous opposons pas à ce que le gouvernement du Québec tienne son référendum. Ce que nous contestons, c'est le droit du gouvernement du Québec de tenir un référendum sur l'avenir de *Eenou Astchee*, le territoire cri, et de *Eeyouch*, le peuple cri. (Matthew Coon-Come, 1995: 108, 117, 118, 119.)

Bien entendu, les déclarations des chefs autochtones plaisent à ceux qui veulent à tout prix empêcher la souveraineté du Québec. Ainsi, l'appui de certains Canadiens anglais à la cause autochtone ne serait pas tout à fait désintéressé. C'est le point de vue que défendait Robin Philpot dans *Oka: le dernier alibi du Canada anglais*. Mais cette opinion est aussi celle d'un professeur de science politique de London, en Ontario:

> Ces gens peuvent n'avoir que peu de sympathie pour les préoccupations autochtones, mais ils utiliseront la position des autochtones du Québec comme une arme pour attaquer les séparatistes et comme un outil commode pour diminuer l'étendue du territoire qu'ils enlèveront au Canada. (John McGarry, *GM*, 16 mai 1994.)
>
> Chaque fois qu'un leader mohawk, cri ou montagnais profère la plus vague menace concernant la possibilité que des bandes indiennes préféreraient continuer à faire partie du Canada plutôt que de vivre dans un Québec indépendant, le Canada anglais réagit avec dérison en répliquant: «On vous l'avait bien dit.» [...] [Mais] si les Cris, Mohawks et d'autres au Québec sont souverains et ont le droit de partir quand ils le veulent, alors il s'ensuit certainement que les autochtones dans le reste du

> Canada sont souverains et peuvent aussi nous quitter quand ils le veulent. [...] L'idée selon laquelle l'ennemi de mon ennemi est mon ami peut sembler amusante et commode aux Canadiens anglais. Mais dans le meilleur des cas, c'est de l'hypocrisie odieuse. (Peter Stockland, *OS*, 13 juin 1994.)

En effet, le Canada anglais aurait tout à craindre d'encourager le séparatisme autochtone. La question territoriale est un bourbier, estime Willard Estey, un ancien juge de la Cour suprême du Canada:

> Notre droit ne prévoit aucun droit de se séparer de quoi que ce soit. [On ne sait pas exactement où réside la propriété des terres indiennes.] Le débat légal entourant le territoire d'un Québec souverain est simplement horrible. (Willard Estey, *EJ*, 23 novembre 1994.)

La contestation des frontières québécoises sur la base des revendications autochtones ouvrirait une boîte de Pandore:

> Les prétentions de la France et de la Grande-Bretagne — et par là, du Canada — à la mainmise sur les nations et les territoires autochtones reposent sur des assises chancelantes. [...] [Cet argument] s'applique tout autant au nord de l'Ontario, à la plus grande partie des provinces des Prairies et à la partie est des Territoires du Nord-Ouest qu'au nord du Québec. (Kent McNeil, 1992: 107.)

> Le démembrement du Québec suivant ce modèle est particulièrement dangereux, parce qu'une fois établi le précédent d'une division territoriale selon l'ethnicité, d'autres communautés pourraient demander la sécession territoriale. (Steven Holloway, 1992: 542.)

> Si les autochtones du Québec sont maintenant convaincus de leur droit de déterminer leur propre avenir par rapport à un Québec indépendant, est-ce que le gouvernement actuel est prêt à accorder le même droit aux autochtones de partout au pays? En d'autres termes, si les Cris du Québec peuvent décider de se retirer d'un Québec indépendant, peuvent-ils se retirer également du Canada? (Rick Gibbons, *OS*, 20 mai 1994.)

> Nous ne devrions pas nous satisfaire de ce qui se dit, parce qu'il peut être périlleux de se servir des autochtones comme intermédiaires dans la rivalité avec le Québec. N'oubliez jamais que les leaders autochtones ont leur propre programme quasi séparatiste partout au Canada. (Michael Bliss, *TS*, 20 mai 1994.)

> Les Cris (et les Inuits du Québec) ont signé une entente exhaustive avec Québec en 1975 — la Convention de la Baie James — dans laquelle ils ont obtenu la gestion directe ou indirecte de certaines terres et renoncé à leurs revendications territoriales pour toujours. [...] Tant que le Québec continue à respecter cet accord, ce qu'il affirme vouloir faire, il est difficle de voir comment on pourrait justifier légalement le retour de ce territoire au Canada. (Robert Sheppard, *GM*, 23 mai 1994*a*.)

La solution résiderait dans une entente préalable entre le Québec et les nations autochtones:

> Si le Québec entend suivre la voie de la souveraineté, des négociations devront précéder, et non suivre, la déclaration de souveraineté. Ces négociations doivent s'amorcer avec la reconnaissance du droit du Québec à l'autodétermination nationale, mais elles doivent nécessairement toucher l'établissement d'un protocole conjoint, acceptable au Canada et au Québec, qui reconnaisse les mêmes droits constitutionnels à l'autodétermination et à l'autonomie gouvernementale autochtone sur les deux territoires. (Reg Whitaker, 1995: 217.)

Les trois arguments en faveur de la révision des frontières d'un Québec souverain en viennent quelquefois à se superposer. Ici, un historien de Toronto affirme que c'est parce qu'ils refusent la vision multiculturelle de l'identité canadienne qu'on devrait retirer aux Québécois les territoires qu'ils ont acquis depuis la Confédération:

> Parce que les sécessionnistes rejettent l'idée même du Canada, une revendication par ceux-ci des territoires nordiques qui furent donnés par le gouvernement fédéral au Québec comme province du Canada en 1912 serait amèrement contestée. (Kenneth McNaught, 1991: 92.)

Enfin, il est possible d'amalgamer les trois arguments — ethnique, historique et autochtone. Le discours alors ressemble au suivant:

> En regard du fait que le Nouveau-Québec fut donné au Québec par le gouvernement fédéral, il est improbable que le reste du Canada permettra au Québec de conserver ce territoire s'il se sépare. [...] Si la population autochtone du Nouveau-Québec peut demeurer au Canada, pourquoi les anglophones et les allophones ne devraient-ils pas obtenir le même droit, là où ils sont majoritaires? (John Samuel, 1994: 54, 57.)

Maître du territoire

Si jamais le gouvernement du Canada ou des nations autochtones du Québec s'avisent de contester sérieusement l'étendue du territoire sous la souveraineté du gouvernement du Québec, il faudrait que ce dernier prouve qu'il en a la pleine maîtrise:

> Selon le droit international, même lorsqu'un État fait sécession sans approbation légale, la communauté internationale peut éventuellement reconnaître la validité de cette déclaration. [...] Toute dispute juridique au sujet des frontières d'un Québec indépendant serait résolue dans une large mesure par cette épreuve: Est-ce que les autorités politiques de l'État sécessionniste peuvent avoir une maîtrise politique réelle du territoire et de la population que cet État revendique? (Patrick Monahan, *GM*, 19 mai 1994.)

> Est-ce que le Québec aurait le contrôle effectif de ses frontières provinciales actuelles et recevrait-il l'appui des populations qu'il prétend gouverner? Il y a 139 000 autochtones au Québec. Ils habitent les deux tiers du nord du Québec et des régions importantes du sud du Québec. Les Mohawks et les Cris ont fait clairement savoir qu'ils résisteraient à l'inclusion de leur population et de leur territoire dans un Québec indépendant. (Joseph Eliot Magnet, *DEV*, 18 juin 1994.)

> Le sort de ces morceaux de territoire stérile sera déterminé par la rencontre de quatre forces: l'audace du Québec dans l'affirmation de son autorité sur les terres en question, la détermination de la population autochtone à résister, l'aptitude du Canada à appuyer ces autochtones et la disposition des Américains à intervenir. (David Frum, *FP*, 21 mai 1994.)

> Un gouvernement du Québec qui aurait réussi à obtenir une faible majorité en faveur de la souveraineté au cours d'un référendum aurait encore à trouver les moyens de gouverner l'importante minorité de Canadiens à l'intérieur du Québec qui rejetteraient l'indépendance. [...] Plusieurs refuseraient de respecter la création d'un État indépendant au sein de ce qui a déjà été leur pays et essayeraient de résister au nouveau gouvernement. (Éditorial du *CH*, 14 octobre 1994.)

Mais le Canada ne gagnerait rien à encourager l'agitation ou la contestation des frontières du Québec devenu souverain:

> Le reste du Canada ne soulèvera la question des frontières du Québec que si, et seulement si, la province cherche absolument à provoquer un divorce difficile. Ce n'est pas dans [son] intérêt de faire cela. (Gordon Gibson, 1994*a*: 128.)

> La meilleure façon d'éviter que le Labrador ne redevienne un sujet de négociations est d'accepter toutes les frontières du Québec telles qu'elles sont. (Alan Freeman et Patrick Grady, cités dans *PRE*, 19 mars 1995.)

> Il me semble que la poursuite de cette forme de contestation des frontières n'est ni dans l'intérêt du Canada ni dans celui du Québec, puisqu'elle nuirait sérieusement à leur réputation internationale et empêcherait sans doute la conclusion d'accords sur d'autres questions non résolues. (Maureen Covell, 1992: 30.)

Il s'en trouve néanmoins pour croire qu'une tentative de sécession du Québec augmenterait les risques de violence au point qu'il faudrait se préparer à affronter une guerre civile.

Les scénarios de guerre civile

S'il y avait guerre civile, elle pourrait découler de deux sources: des troubles internes au Québec ou de la répression d'une déclaration unilatérale d'indépendance par l'armée canadienne. Mais connaissant la tradition pacifique canadienne, il faut se demander qui a intérêt à tracer de tels scénarios.

Et si ça tournait mal?

Un dénouement violent de la question nationale a été évoqué par quelques commentateurs. Certains ont laissé entendre que les Québécois eux-mêmes seraient à l'origine de ces troubles:

> Croyez-le ou non, il y a plusieurs façons de résister à la sécession sans envoyer un commando aéroporté sur l'Assemblée nationale. L'astuce consiste plutôt à dresser des obstacles sur son parcours, et le droit est l'un d'entre eux. [...] Nous n'avons pas besoin de l'armée pour défendre le Canada. Nous avons le Général Inertie. La fédération, c'est le *statu quo*. Ceux qui veulent changer le *statu quo* — expulser les institutions de l'autorité fédérale du sol québécois — sont ceux qui veulent rompre la fédération. Si quelqu'un doit songer à des actes désespérés, ce n'est pas du côté du Canada. (Andrew Coyne, *GM*, 23 janvier 1995.)

> Je vois de grandes difficultés, des troubles et un risque terrifiant de violence... Oui, il y a eu des sécessions paisibles, mais elles sont exceptionnelles. (Desmond Morton, cité dans *OC*, 28 septembre 1994.)

> L'évolution pacifique démocratique et purement politique du séparatisme québécois pourrait se transformer en violence. Dans la pire des situations, même en guerre civile. [...] La perspective de pertes d'emplois, de niveaux de vie à la baisse et de communautés déchirées introduit un aspect humain dans cette histoire. Un côté sombre de la nature humaine pourrait faire son entrée dans l'équation indépendantiste. Et ça ne s'arrêtera pas

> là. Tous les Canadiens, et spécialement les Québécois, voudront sûrement réfléchir à cette éventualité. (Rick Gibbons, *OS*, 5 mai 1994.)

> Déchirer un État en deux ne s'apparente pas à la dissolution d'une compagnie, ni même à un divorce. C'est une entreprise terriblement risquée impliquant les conséquences les plus inimaginables. (David Frum, *FP*, 21 mai 1994.)

Cette violence est possible, mais elle est nettement peu probable, du moins à grande échelle:

> Bien sûr, il est probable que tout différend entre le Canada et le Québec qui aurait déclaré son indépendance se résoudra d'une manière essentiellement pacifique. (David Frum, *FP*, 21 mai 1994.)

> Une guerre civile est impensable, mais des fortes têtes pourraient, de chaque côté, provoquer de la violence localisée, ce qui rendrait la conciliation et les négociations plus difficiles. (Anthony Westell, 1994: 94.)

La répression de la souveraineté par la force

D'autres ont évoqué la menace d'une mobilisation militaire comme dernier recours pour empêcher la sécession du Québec. Les premiers à demander qu'on prépare la résistance à toute déclaration unilatérale d'indépendance ont été les extrémistes anglophones québécois. Appuyés par Kenneth McNaught, Robert Bothwell, Ian Ross Robertson, Michael Bliss et Jack Granastein, cinq historiens de l'Université de Toronto (voir *OS*, 19 avril 1994), des membres du Parti Égalité du Québec ont réclamé, entres autres, la mise en place d'un dispositif référendaire fédéral:

> Le fédéral doit prendre tous les moyens à sa disposition, peu importe les méthodes requises, pour faire respecter la loi et l'ordre. (Keith Henderson, cité dans *PRE*, 16 avril 1994.)

L'argument de l'illégalité de la sécession du Québec est intimement lié à celui de sa répression par les armes. Cela est souvent évoqué avec subtilité, comme l'ont déjà fait le fédéraliste montréalais William Johnson et l'historien torontois Desmond Morton:

> Il est dangereux de rejeter la pertinence de la Constitution, parce que toute autre solution est pire encore. Qu'arriverait-il en cas de doute quant à la signification d'un référendum québécois sur une déclaration unilatérale d'indépendance? [...] En cas de doute ou de différences inconciliables, la Constitution offre une façon pacifique de régler le conflit. La solution de rechange est pire, et de beaucoup. (William Johnson, *GAZ*, 21 décembre 1994.)

> Le droit de forcer le Québec ou toute autre région du Canada à demeurer dans la Confédération existe bel et bien, et la possibilité de l'exercer grandira à mesure qu'on convaincra la majorité que ses intérêts vitaux sont en jeu. C'est précisément ce qui s'est produit dans les autres pays où on a tenté la sécession, avec ou sans succès. (Desmond Morton, 1992: 88.)

D'autres présentent l'armée comme un ultime recours mais dans des circonstances bien précises:

> Selon certains, le recours ultime à la menace militaire (et à l'action, si nécessaire) devrait être entrepris avant la séparation. Pourtant, cela n'a aucun sens dans les circonstances. [...] Si nous réalisons une entente avec le Québec qui comprend la protection des minorités et que le Québec ne la respecte pas, c'est peut-être là une première situation qui commanderait de considérer l'option militaire, et alors seulement selon les règles des Nations Unies. (Gordon Gibson, 1994*a*: 87, 88-89.)

Après avoir interviewé des dizaines d'éminents Canadiens, le journaliste Knowlton Nash tranche la question:

> Nous n'allons pas répéter la guerre civile américaine pour empêcher notre pays de se briser. En passant: nous n'avons pas d'Abraham Lincoln. (Knowlton Nash, 1991: 300.)

Toutefois, c'est à regret qu'un historien radical de l'Ouest accepte l'abandon du recours à la force pour empêcher la sécession. Il met en opposition l'histoire canadienne et la réussite de la quête d'unité nationale aux États-Unis:

> Il est difficile de déterminer à quel moment exactement dans les années soixante la bataille pour l'unité canadienne a été perdue. [...] Mais cela fut confirmé quand M. Trudeau a déclaré que les Canadiens étaient trop civilisés pour utiliser la force afin de garder leur pays entier. De telles déclarations ont détruit toute possibilité que les Canadiens puissent devenir un peuple uni par une constitution alors qu'ils sont de moins en moins unis par d'autres choses. [...] La raison pour laquelle Abraham Lincoln était fondamentalement justifié de forcer les États-Unis à entreprendre la guerre civile dans les années 1860, c'est qu'il savait que si les Américains ne pouvaient être pour toujours unis par leur constitution, ils ne seraient rien du tout. (David Bercuson, *GM*, 13 septembre 1994.)

La tradition canadienne

La tradition canadienne veut qu'on règle les conflits de manière pacifique. Ainsi, pour brandir le spectre de la guerre civile, certains doivent recourir à des comparaisons douteuses entre le cas canadien et ceux de la Yougoslavie et des États-Unis:

> Il est surprenant de constater le nombre de parallèles entre le Canada et la Yougoslavie. Ils ont tous deux une population d'environ 25 millions. Les deux fédérations comptent une nation minoritaire d'environ 5 millions, et très indépendante d'esprit. Tout comme la Croatie, qui est le foyer d'un demi-million de Serbes, le Québec contient plus d'un demi-million de non-francophones. Cette minorité ne veut pas adhérer à une république indépendante. (Scott Reid, 1992: 2.)

> Pourquoi je pense que les Canadiens vont vivre les expériences de sécession violente du Pakistan, de la Grande-Bretagne, du Nigéria, des États-Unis et, plus près de

> nous, de la Yougoslavie? [...] L'année dernière, j'ai cherché très fort des exemples de rupture nationale paisible. (Desmond Morton, 1991: 71.)

> Le processus de séparation pourrait entraîner un potentiel de guerre civile, car la situation est étonnamment comparable à celle qui existait aux États-Unis en 1861. Il y a une détermination semblable à préserver des sociétés distinctes, en particulier à l'égard des politiques d'un gouvernement central considéré comme nuisible à la préservation de cette société. (Peter Haydon, 1991: 33.)

Il est intéressant de constater que certains ont employé un argument paradoxal: on fait valoir la tolérance du Canada afin d'inciter les Québécois à ne pas voter OUI lors du référendum et on laisse entendre qu'une tentative de séparation mettrait fin à cette largesse d'esprit:

> Personne ne sait quelles seraient les ramifications juridiques et géographiques de la souveraineté, parce que personne n'a jamais envisagé la rupture du pays le plus tolérant et qui a le mieux réussi dans le monde. Il va sans dire qu'il y aura de la colère et de la rancune en cas de séparation du Québec. (Robert Sheppard, *GM*, 23 mai 1994*a*.)

S'attacher à la tradition de tolérance des Canadiens peut rassurer les Québécois quant aux suites d'une déclaration de souveraineté. Mais tous ne sont pas aussi catégoriques sur la tradition pacifique du Canada.

> Nous ne pouvons pas prédire, à partir de notre propre histoire du moins, une résolution pacifique d'une telle crise. (William Gairdner, cité dans *GAZ*, 2 mai 1994.)

Le Canada aurait même un petit côté justicier, selon l'historien Bercuson qui s'appuie sur la récente expédition des garde-côtes canadiens contre les chalutiers espagnols au large de Terre-Neuve:

> Si le gouvernement Chrétien est prêt à utiliser la force pour appliquer la loi canadienne hors du territoire cana-

> dien, n'est-il pas encore plus justifié d'utiliser la force pour l'appliquer dans des zones qui font nettement et sans aucun doute partie du territoire canadien? [...] Peu importe les moyens à employer, le gouvernement du Canada protégera les droits des Québécois opposés à la sécession à bénéficer de la loi canadienne. (David Bercuson, *FP*, 1er avril 1995.)

> Les Canadiens qui croient que nous sommes dotés d'une grâce spéciale qui nous permet d'éviter ce qui s'est passé dans notre propre histoire, et ce qui se passe dans tous les autres pays divisés du monde, sont toqués. Il revient à tout prix à notre gouvernement [...] d'affirmer clairement qu'une déclaration unilatérale d'indépendance, appuyée comme elle le serait par la police du Québec et par les autres autorités, et qui empêcherait l'application des lois canadiennes, serait une circonstance dans laquelle la violence [...] ne pourrait être évitée. (Kenneth McNaught, cité dans *GM*, 16 avril 1994.)

Un spécialiste de l'histoire militaire contredit McNaught sur le passé belliqueux des Canadiens:

> En effet, nous n'avons pas un passé meurtrier. Notre pire crise intérieure depuis la Confédération a pris un maximum de 60 vies en 1885. [...] Mon collègue, le professeur Kenneth McNaught, obnubilé par le désir de prouver que nous avions un passé aussi violent que celui des États-Unis, a décidé d'inclure la violence verbale: la langue de vipère du premier ministre Arthur Meighen. J'ai toujours pensé que la civilisation était née lorsque la discussion a remplacé le bâton. Les Canadiens peuvent certainement s'inspirer de cette tradition pour s'extirper de la présente crise, et je le souhaite vivement. (Desmond Morton, 1991: 70.)

La tradition canadienne va à l'encontre du recours à de tels moyens, tranche le chef d'état-major:

> [Les Forces armées canadiennes n'ont pas le mandat de] se battre pour l'unité d'un pays que nous n'aurions pas eu le bon sens ou l'habileté de maintenir autrement. (John De Chastelain, cité dans *PRE*, 4 janvier 1992.)

C'est la même opinion qui domine chez les universitaires canadiens:

> Nous partons du principe que l'éventuelle accession du Québec à l'indépendance doit se négocier dans la paix. (Douglas Brown, 1994*a*: 3.)

Doit-on évoquer la violence?

Pour les uns, parler de violence à l'aube de la campagne référendaire est une attitude dictée par la prudence:

> Certains trouvent acceptable d'étudier les conséquences financières, économiques, fiscales, politiques, culturelles, et personnelles, ainsi que de nombreux aspects jusqu'ici inédits de la séparation du Québec du Canada. [...] Mais considérer ses effets sur la sécurité nationale recèlerait de vagues dangers. [...] Se forcer à voir la réalité en face est quelquefois le meilleur moyen d'éviter une situation qui pourrait survenir à cause de notre négligence. (Alex Morisson, 1991: vii-viii.)

> La question des frontières a le plus grand potentiel incendiaire. Une certaine violence est à prévoir. [...] Il y a beaucoup d'esprits échauffés. Si on ne se prépare pas pour une catastrophe et que quelque chose survienne, on dira qu'on a été irresponsables. (Gordon Gibson, cité dans *GAZ*, 22 juin 1994.)

Pour les autres, il s'agit d'une conduite à proscrire, source d'instabilité politique:

> Les menaces canadiennes-anglaises à l'endroit de l'intégrité territoriale d'un futur Québec souverain étaient autrefois l'exception. [...] Si nous vivons actuellement une période d'insécurité et d'instabilité, le Canada anglais et certains de ses politiciens en sont responsables. [...] La meilleure option serait d'accepter la branche d'olivier tendue par le PQ et accepter de résoudre les questions territoriales en vertu des lois internationales devant la Cour internationale en cas d'échec des négociations pacifiques. (John Conway, 1994*b*: 19, 23, 22.)

Le correspondant de la *Gazette* à Québec considère qu'il est dangereux d'évoquer le recours à la force, car cela pourrait mettre le feu aux poudres:

> Si les gens entendent continuellement parler de violence (même si cela s'exprime sous la forme de «prédictions» ou «d'avertissements»), ils peuvent se mettre à croire à un véritable danger de violence, alors qu'il n'y en avait pas auparavant. Ils peuvent alors commencer à la croire inévitable. Ils peuvent même commencer à s'y préparer. Et c'est quelquefois comme cela que commencent les guerres... (Don MacPherson, *GAZ*, 3 mai 1994.)

La question de la répression par la force de la sécession du Québec a été posée par l'ancien premier ministre Lester B. Pearson. C'est Trudeau, son successeur, qui a fini par y répondre. Plusieurs s'en souviennent très bien:

> «Si on se rend jusqu'à la sécession, demandait Lester B. Pearson, et que la décision est prise de façon démocratique, est-ce que nous acceptons, ou est-ce qu'on se bat?» Même Pierre Trudeau, cet ennemi du séparatisme et légaliste par excellence, n'a jamais considéré la coercition ou une autre forme d'usage de la force pour prévenir la sécession. (Jeffrey Simpson, *GM*, 6 janvier 1995.)
>
> Je me rappelle avoir entendu Trudeau dire, peu après la victoire du Parti Québécois en 1976, qu'il serait impensable de refouler le mouvement séparatiste par la force. (Dalton Camp, *TS*, 18 décembre 1994.)

Les paroles exactes de Trudeau auraient été les suivantes:

> Si un pays veut absolument se diviser, je ne suis pas de ceux qui diront qu'il faut le maintenir par la force. (Pierre Elliott Trudeau, cité par Kenneth McNaught, 1991: 80.)

Mais l'actuel premier ministre libéral est moins prompt à dissiper les malentendus que ses deux prédécesseurs. Il contourne simplement la question:

La meilleure façon d'éviter le recours à l'armée, c'est de ne pas se séparer. (Jean Chrétien, cité dans *PRE*, 4 janvier 1992.)

En résumé, l'intégrité territoriale d'un Québec souverain serait menacée sous deux angles: par des tentatives de contester ses frontières et par l'intervention de l'armée canadienne pour empêcher la sécession. Bien que de tels scénarios aient été discutés, ils ne constituent pas une part importante du débat sur l'éventuelle souveraineté du Québec. En outre, il existe un nombre important d'individus qui excluent le démembrement du Québec ou l'usage de la force. Enfin, les intérêts en présence et le poids de l'histoire canadienne jouent en faveur de négociations pacifiques dans la foulée du référendum.

❑

Pour en savoir plus long

BRODEUR, Jean-Paul, «L'obstacle des troubles intérieurs», dans Alain-G. Gagnon et François Rocher (dir.), *Répliques aux détracteurs de la souveraineté du Québec*, Montréal, VLB éditeur, 1992, p. 103-119.

BRUN, Henri, «L'intégrité territoriale d'un Québec souverain», dans Alain-G. Gagnon et François Rocher (dir.), *Répliques aux détracteurs...*, p. 69-85.

CHARRON, Claude, *L'idée de démembrer le Québec*, mémoire de maîtrise en science politique, Université du Québec à Montréal, février 1995, 140 p.

DUPUIS, Renée, «L'avenir du Québec et les peuples autochtones», *Choix, série Québec-Canada*, Institut de recherche en politiques publiques, vol. I, nº 10, juin 1995, p. 20-33.

GOURDEAU, Éric, «La souveraineté: une chance unique pour les autochtones d'acquérir leur pleine autonomie», dans Alain-G. Gagnon et François Rocher (dir.), *Répliques aux détracteurs...*, p. 86-99.

JOCKEL, Joseph T., «Armée, sécurité du territoire et souveraineté», dans Alain-G. Gagnon et François Rocher (dir.), *Répliques aux détracteurs...*, p. 120-130.

TURP, Daniel, «Intangibilité des frontières terrestres du Québec et succession d'États en droit international», dans *Les frontières du Québec: d'hier à demain*, Québec, Faculté de foresterie et de géomatique de l'Université Laval, 1992, p. 77-81.

CHAPITRE IV

La période de transition et de négociation

Le lendemain d'un référendum positif, les Québécois déchanteront-ils? Certains prétendent que le Canada passera par une période difficile au point de vue économique, et que ce sera l'hécatombe au Québec. Au départ, on considère que le Québec est dépendant du Canada anglais. Ensuite, on évoque la crise de confiance qui frappera les investisseurs. Mais dans de telles circonstances, comment les autorités canadiennes-anglaises vont-elles réagir? N'auront-elles pas intérêt à accepter de négocier?

Les scénarios catastrophistes

Le Québec a-t-il besoin du Canada?

Plusieurs Canadiens anglais sont convaincus que les Québécois vivent aux crochets des contribuables du reste du Canada. Cette croyance se reflète dans les réponses qu'ont données des participants à un sondage non scientifique; ils perçoivent l'association entre le Québec et le Canada comme un moyen pour le Québec de continuer à les exploiter:

— La souveraineté-association signifie que je quitte la maison mais que tu continues à payer mes factures. La

> séparation veut dire que je vais payer mes propres factures.
>
> — Les séparatistes veulent avoir tous les avantages de l'association monétaire canadienne pour pouvoir se prétendre indépendants tout en laissant les contribuables canadiens payer pour leurs «bébelles».
>
> — La souveraineté-association veut dire qu'ils gardent le beurre et l'argent du beurre. La séparation veut dire qu'ils s'en vont seuls. (*TS*, 19 mai 1994.)

Tous s'entendent pour dire qu'avec la souveraineté, le Québec va acquérir une plus grande liberté sur le chapitre des politiques économiques. Mais, quand on songe à la fin des contrats militaires canadiens, sans tenir compte des autres secteurs de l'activité gouvernementale fédérale, le Québec paraît perdant aux yeux de certains:

> Il n'y a aucun doute qu'un Québec indépendant pourrait faire des choses pour renforcer ses capacités scientifiques et technologiques, mais ce ne serait pas sur la même base de financement tiré de la recherche et de l'approvisionnement. (David Crane, *TS*, 29 mai 1994.)

Aucun analyste sérieux n'est dupe de tels raisonnements. De toute évidence, on fait ici abstraction du fait que le Québec récupérera d'Ottawa les impôts qui servaient à payer la présence de l'armée canadienne sur son territoire. Toutefois, les milieux financiers sont quand même sensibles à des affirmations qui sèment le doute sur la continuité entre le régime canadien et le régime québécois:

> Ce qui attire les entreprises, c'est ce à quoi le Québec renoncera s'il se sépare du Canada — l'assurance de fonctionner et de continuer à fonctionner avec une devise familière, à l'intérieur de règles légales et de paramètres légaux connus, sous un régime commercial et fiscal cohérent, et dans un marché commun défini et sans tarifs douaniers. (Peter Cook, *GM*, 18 mai 1995.)

La mairesse de Toronto prévient qu'elle cherchera à attirer les entreprises montréalaises dans sa ville après la souveraineté:

S'ils choisissent la souveraineté, il y aura beaucoup d'activité entre nous et les entreprises montréalaises, il n'y a aucun doute là-dessus. Nous avons préparé l'information nécessaire sur notre ville. [...] Nous savons déjà avec quelles entreprises nous entrerions en contact. (June Rowlands, citée dans *TS*, 29 septembre 1994.)

Mais l'attitude des hommes d'affaires ne sera pas aussi superficielle:

[Si je veux garder des relations amicales avec le Québec après la séparation?] Absolument! Mon Dieu! Je n'ai l'intention de me retirer d'aucune usine du Québec à cause de cela. (Jim Pattison, 1991: 78.)

Si le Québec partait, je me comporterais en homme d'affaires et continuerais de soutenir nos employés québécois. (Jim Pattison, cité dans Haslam, 1995: 22.)

Quels seront les coûts de la souveraineté?

La réaction du monde des affaires sera cruciale. Une grande partie des coûts liés à la transition vers la souveraineté sont engendrés par la spéculation des marchés financiers:

Nous sommes le lendemain du référendum. Le camp du OUI a gagné et la ville de Québec est en liesse. Cependant, Bay Street et Wall Street ne se réjouissent pas. La panique s'installe. De grandes quantités d'obligations du Québec et du Canada sont vendues. La valeur du dollar canadien chute considérablement par rapport au dollar américain. Les taux d'intérêt augmentent à une vitesse alarmante. (Robin Richardson, cité dans *OC*, 10 mai 1995.)

Un économiste qualifié de pessimiste met l'accent sur le facteur d'incertitude, source de fuite des capitaux:

[Si le sentiment par rapport à l'indépendance dépassait 40 %], cette fuite de capitaux nuirait fortement à l'économie canadienne. [Et si jamais l'indépendance se réalisait], tout peut alors arriver. (Lloyd Atkinson, cité dans *DRO*, 24 novembre 1994.)

> Les marchés financiers réagissent à un ensemble de prédictions concernant de nombreux facteurs d'influence. En ce qui concerne le Canada, le séparatisme fait partie de cet ensemble. Le séparatisme fait en sorte que le Canada est encore plus touché. (Jack McArthur, *TS*, 29 juin 1994.)

Cependant, la séparation n'est qu'un facteur de risque passager, qui disparaîtrait avec la levée de l'incertitude politique qui suivra la tenue du référendum et la conclusion d'une entente:

> Supposons que le reste du Canada puisse emprunter à 1 ou 2 % de moins qu'à l'heure actuelle parce que l'incertitude au sujet du Québec serait levée. [...] La situation du Canada serait bien meilleure sans le Québec. (David Yager, *CH*, 30 décembre 1994.)

> Une fois accomplie une transition potentiellement difficile, le coût économique de la séparation du Québec du reste du Canada serait probablement modéré, peut-être pas plus important que celui de vivre sous la menace continuelle de la séparation. (Melville McMillan, 1995: 292.)

> À court terme (d'ici cinq ou dix ans?), les Canadiens et les Québécois vont payer un coût élevé pour la séparation. [...] Mais dans moins de temps que nous ne l'imaginons, le Canada va retrouver sa population et son potentiel économique va monter en flèche. (David Bercuson, *GM*, 13 septembre 1994.)

Ces prévisions optimistes en agacent plusieurs parmi ceux qui préfèrent qu'on croie à une catastrophe imminente:

> Dans un portrait publié récemment dans le *Star*, un important gestionnaire de portefeuille de Bay Street fut cité, affirmant que l'indépendance du Québec n'aurait pas de conséquences néfastes sur le reste du Canada. [...] Actuellement, l'idée la plus dangereuse au Canada anglais est peut-être celle qui veut que si le Québec se séparait, nous ne nous en porterions que mieux. (David Crane, *TS*, 11 juin 1994.)

Pour les pessimistes, les coûts d'une séparation économique seraient considérables. C'est ce que soutient Graham Parsons, un économiste de la Canada West Foundation:

> Les économies du Canada et du Québec sont liées de manière inextricable. Le coût d'une séparation pourrait être absolument énorme. (Graham Parsons, cité dans *CH*, 4 juin 1994.)
>
> Une majorité écrasante de Canadiens est d'accord pour dire que si l'issue de notre crise constitutionnelle est la dissolution de notre fédération, nous en sortirons tous perdants. (Johanna Den Hertog, 1991: 221.)
>
> Dans certaines parties du pays, la perturbation économique serait beaucoup plus grande que celle qu'on a vécu durant n'importe quelle récession, et même la grande dépression des années trente. (Patrick Monahan, cité dans *GM*, 11 janvier 1995.)

Le président de la compagnie Imasco ltée prédit le chaos et recommande subtilement de voter NON pour des raisons économiques:

> [Si les Québécois votent pour la souveraineté dans un référendum, il faudra compter de cinq à dix ans de négociations difficiles avec Ottawa pour partager le butin.] Ces années-là ne seront pas une partie de plaisir pour le Québec et le reste du Canada. [...] Comme électeur, je veux savoir quel chemin est susceptible de me mener à une plus grande prospérité. (Purdy Crawford, cité dans *DEV*, 4 octobre 1994.)

Pourtant, il est extrêmement difficile de calculer les conséquences économiques de la création d'un nouveau pays:

> Le Canada ferait preuve d'inconscience s'il se lançait dans une expérience capitale comme la division du pays sans l'indispensable apport de ceux qui savent comment calculer le coût des différentes solutions possibles. [...] [Mais] le problème des économistes qui participent à ce dialogue est qu'aucune étude économique des différents scénarios n'est défendable à moins que ne se concrétisent les hypothèses concernant les paramètres non économi-

> ques. La rupture potentielle des cadres institutionnels nationaux ne peut être incorporée qu'avec difficulté dans des modèles analytiques pour calculer les coûts de la séparation. (Stanley Hartt, 1992: 4, 30.)

> Un des éléments les plus convaincants au sujet de l'indépendance du Québec serait le calcul de ses coûts, [mais] on doit considérer avec beaucoup de réserve toute évaluation que les diverses parties pourraient étaler au cours du débat. (Douglas Brown, 1994*a*: 5.)

Comme on le sait, on peut faire dire bien des choses à des statistiques. Une guerre des chiffres est donc inutile:

> Un chantage économique et un scénario apocalyptique doivent être jugés pour ce qu'ils sont — des tentatives éhontées d'intervenir dans le cours d'une prise de décision démocratique et d'influencer. Elles n'ont aucune place dans le débat sur le prochain référendum. Nous devons les rejeter. (Bob White, 1995: 137-138.)

Il faut donc regarder la situation globalement. En fait, tout dépendra de l'attitude que l'on adoptera dans les mois suivant le référendum:

> Si le Québec en arrive à la souveraineté, sa prospérité dépendra en partie du ton acrimonieux ou harmonieux des négociations avec le reste du Canada. (Jonathan Lemco, 1992: 87.)

> La négociation avec le Québec sera une affaire complexe. Si elle est bâclée, le niveau de vie des Canadiens en serait affecté pour une génération. (Alan Freeman et Patrick Grady, cités dans *GM*, 16 février 1995.)

Les deux principaux facteurs conditionnant les coûts de transition vers la souveraineté sont bien résumés ici:

> Les accords de séparation du territoire, le partage de la dette nationale, les accords commerciaux et la monnaie, ainsi que la réaction des marchés financiers internationaux à la séparation représentent les facteurs déterminants des perspectives économiques à court terme du Québec. (George Fallis, 1992: 52.)

La réaction des Canadiens anglais au lendemain du OUI

Des représailles économiques?

Le recours à l'armée n'est pas la seule mesure de représailles évoquée au Canada anglais dans le but d'empêcher la souveraineté du Québec. La menace de couper les vivres n'est pas nouvelle. On a même pensé la mettre en pratique dès avant le référendum. En effet, un éditorialiste de Terre-Neuve s'est mis à spéculer sur le résultat d'un resserrement du crédit du Québec, estimant que ce dernier ne pourrait se permettre à la fois un déficit élevé et la souveraineté:

> Est-ce que la communauté bancaire internationale cessera de faire crédit au Québec? Certains pourraient espérer qu'elle le fera, si ce n'était des conséquences terribles qu'un tel geste aurait sur la cote de crédit de Terre-Neuve. (Éditorial du *ET*, 14 décembre 1994.)

Cela illustre bien que toute tentative du Canada de punir le Québec pour ses décisions politiques aurait des conséquences néfastes pour les deux acteurs intéressés. Le bon sens ferait en sorte qu'on y penserait à deux fois avant de chercher noise aux Québécois en boycottant leur économie:

> Dans un sens, nous pourrions les tenir en otages, mais ce serait extrêmement coûteux pour nous de faire cela. Ça va dans les deux sens. On peut se plaire à penser qu'ils auront des problèmes s'ils se séparent et que nous riposterons. Mais nous aurons des problèmes aussi. (Jim Gaisford, cité dans *CH*, 4 juin 1994.)

Il faut donc exclure d'emblée les sanctions économiques, car elles nuiraient autant au Canada anglais qu'au Québec:

> On peut difficilement entrevoir des représailles contre un Québec souverain. Par exemple, le Québec, en tant que membre du GATT, aurait accès au marché canadien à travers la clause du traitement national. De plus, l'idéologie de la globalisation des marchés dicte que des politiques

> restrictives ou punitives perturberaient les deux pays. (Robert Young, 1992*a*: 123.)

Par conséquent:

> Aucune barrière tarifaire ne serait érigée autour du Québec. Cela ne serait dans l'intérêt d'aucune des parties, puisque ces barrières sont actuellement en train d'être démantelées dans le monde et au sein de l'Amérique du Nord. (Philip Resnick, 1991: 59.)

Si certains n'ont pas peur d'imposer un embargo économique au Québec, c'est qu'ils en sont encore au stade de la réaction émotive:

> Qu'importe les arguments des séparatistes qui disent que si le Canada anglais faisait du tort au Québec, cela impliquerait qu'il se ferait du mal à lui aussi. C'est bien possible, mais c'est l'irrationnel qui va régner vraisemblablement. (Diane Francis, *FP*, 30 avril 1994.)

Une atmosphère chargée d'émotivité

On ne doit pas sous-estimer la réaction initiale des Canadiens anglais pour qui les Québécois se seraient attaqués à l'intégrité du pays. Pendant un certain temps, l'émotivité sera à son comble et on n'entendra que des cris viscéraux. Mais le tout se tassera lentement pendant que, derrière la scène, on se préparera aux négociations.

> Sur le plan économique, le PQ postule le triomphe de la rationalité économique sur l'émotion et présuppose qu'un *sang-froid* [en français dans le texte] habite le cœur des Canadiens vivant hors du Québec, surtout les gens d'affaires et leurs conseillers. Une telle approche peut relever d'une compréhension incomplète de ce qui les anime. (Stanley Hartt, 1992: 7-8.)

> Une victoire des séparatistes au référendum créerait des problèmes énormes pour tous les Canadiens, problèmes qu'il faudrait résoudre dans une atmosphère chargée d'émotions, sous la menace d'une sérieuse crise financière. (David Crane, *TS*, 4 décembre 1994.)

> La séparation du Québec se ferait avec beaucoup plus d'acrimonie et comporterait plus de risques que les séparatistes ne sont prêts à l'admettre. Il y aurait sans doute des démêlés au sujet du partage de la dette nationale, de la répartition des propriétés et des autres possessions fédérales en territoire québécois, des droits de la minorité de langue anglaise, et d'une multitude d'autres aspects. (Éditorial du *GM*, 20 mai 1994.)

> Les réactions seront émotives, et non pas rationnelles. Ce sont ces réactions qui m'inquiètent. Les gens raisonnables seront discrédités et des gens moins raisonnables auront la voie libre pour prendre le pouvoir. (Ed Broadbent, cité dans *GAZ*, 13 juin 1994.)

Est-ce que cette atmosphère survoltée durera longtemps? Le bon sens l'emportera-t-il sur l'émotivité?

> Le poids de l'histoire canadienne fait peser la balance vers la modération. Les forces modératrices pourraient bien devenir encore plus puissantes qu'elles ne le sont actuellement, parce que les Canadiens sont extrêmement fiers de leur tradition de tolérance et de compromis. (George Fallis, 1992: 47.)

Un observateur a même noté une amélioration du style des débats politiques depuis les années quatre-vingt:

> Le ton des discussions au sein du Québec et du Canada anglais se déplace graduellement du niveau émotif au plan stratégique. (Tom Courchene, 1991*b*: 14-15.)

La coopération ne sera peut-être pas immédiate. Une fois l'émotivité passée, il y aura une phase de refus:

> Au Canada, dans la période suivant immédiatement un vote en faveur de la souveraineté, l'impulsion ira dans la direction opposée à l'union. Vous ne pouvez accomplir ce que les Européens sont en train de faire alors que vous êtes occupés à vous détacher. (William Robson, cité dans *OC*, 11 avril 1995.)

> Un Québec indépendant serait vraiment indépendant. Mais le Canada aussi! Pourquoi accepterions-nous de

partager avec un autre pays la gestion de notre banque centrale, de notre devise, de nos politiques fiscales et monétaires? (Thomas Berger, 1991: 315.)

Les scénarios de coopération

Puis, on commencera à prendre en considération la nécessité de tisser des liens, afin de conserver les acquis. Mais ce sera dans une atmosphère dure et froide:

> Je ne crois pas que les nationalistes québécois comprennent vraiment l'attachement émotionnel que les Canadiens éprouvent pour leur pays, ou la volonté que peut avoir un pays qui a subi la perte de 100 000 des siens dans deux guerres mondiales de faire des sacrifices. Je ne crois pas qu'au Québec on comprenne bien combien ce sera dur. (Michael Bliss, cité dans *GAZ*, 7 mai 1994.)

> Dès que les Québécois auraient voté en faveur de la séparation, les autres Canadiens les traiteraient en étrangers. Les négociations seraient dures et impitoyables. Il n'y aurait pas une once de générosité, même sur les questions les plus délicates, des frontières (comme au Nouveau-Québec) à la dette nationale. (Richard Gwyn, *TS*, 2 décembre 1994.)

> Il va sans dire que les Canadiens sont prêts à être extrêmement durs envers le Québec s'il opte pour la souveraineté. Des questions telles que la définition des nouvelles frontières, le partage de la dette et la compensation pour les propriétés fédérales seraient négociées dans un esprit de défense impitoyable de ses intérêts, esprit duquel serait absent toute sympathie ou tout sentiment. (Richard Gwyn, *TS*, 27 mai 1994*b*.)

En dépit de l'émotivité, du refus et de l'agressivité dont sont empreints ces propos — certains d'entre eux étant motivés par le désir de dissuader les Québécois d'opter pour la souveraineté —, les Canadiens anglais mettront bientôt leur rancune de côté:

> En somme, si les Québécois choisissaient la souveraineté, les coûts potentiels seraient très élevés. Mais la portion la plus importante de ces coûts est faite de coûts variables. [...] Comme les coûts de l'indépendance pour le Québec dépendent surtout de l'intransigeance du ROC [*Rest of Canada*], la menace de non-collaboration peut sembler un outil de dissuasion efficace. Cependant, les Québécois n'y croient pas. [...] [Selon leur analyse] les fédéralistes veulent éviter que l'indépendance n'entraîne des coûts pour le Canada [et] il est tout à fait prévisible que le ROC abandonnera cette stratégie aussitôt après la souveraineté. (Robert Young, 1992*b*: 396, 398, 399.)

On négociera avec le Québec

Le deux voisins seront contraints de s'entendre. Il en va de leur intérêt vital. Selon l'économiste en chef d'une grande banque canadienne:

> Il y aura une longue période de négociations, c'est comme un divorce. (Ruth Getter, citée dans *OS*, 8 juin 1994.)
>
> L'intégrité financière des États successeurs exigera que les négociations s'enclenchent rapidement et décisivement, avec un minimum de discontinuité légale. (Douglas Brown, 1994*b*: 8.)
>
> Des arrangements commerciaux devraient être établis aussitôt que possible entre le RC [reste du Canada], le Québec et le monde afin de maintenir autant que possible la stabilité économique. (George Fallis, 1992: 49.)
>
> En dernière analyse, une résolution rapide des conditions d'accès du Québec à la souveraineté serait dans l'intérêt du nouveau Canada. [Mais] les négociations sur les termes du passage du Québec à la souveraineté ne réussiront qu'en présence d'une volonté de la part des deux parties. (Kenneth McRoberts, 1995: 409, 412-413.)
>
> Est-ce que tout ira bien?
>
> La majorité de la population des deux nations, ainsi que leurs dirigeants, verront qu'il est dans leur intérêt d'éta-

> blir des relations économiques amicales et de créer une stabilité économique aussi vite que possible. [...] Mais cela ne veut pas dire que tout le monde sera nécessairement partisan de l'harmonie. (George Fallis, 1992: 47.)

> Sur cette planète, les frontières nationales ont changé à travers les âges, et cela va continuer dans l'avenir. Il n'y a rien de nouveau là-dedans. Ce qui *pourrait* être particulier au Canada, c'est une transition ordonnée et peu coûteuse. Cela donnerait la mesure de notre humanité. (Gordon Gibson, 1995: 18.)

Mais avec qui le Québec va-t-il négocier?

D'aucuns, comme cet historien qui fonde son opinion sur des exemples passés de crises nationales comme la Seconde Guerre mondiale, croient fermement que les Canadiens seraient unis derrière leur gouvernement et déterminés à «gagner»:

> À très court terme, du moins, une crise québécoise raffermirait l'opinion canadienne d'une manière que peu croyaient possible. Un gouvernement séparatiste du Québec affronterait un adversaire canadien très déterminé. [...] Nous ne devrions jamais écarter le nationalisme intense et déterminé du peuple canadien, et sa capacité de relever les défis. [...] Semer la séparation et la désintégration dans un pays comme le Canada, à qui il reste tant de détermination, est un jeu terriblement dangereux. (Michael Bliss, *TS*, 3 juin 1994.)

> Le Canada sera toujours le Canada si le Québec quitte la Confédération. Le lendemain du départ du Québec, le Canada aura toujours son siège aux Nations Unies et sera toujours membre de l'OTAN. [...] Un OUI au référendum du Québec [...] donnerait aux leaders du Canada le signal politique d'entreprendre des négociations pour la réduction du territoire canadien, comme ils l'ont déjà fait pour son élargissement. (Tom Flanagan, 1994: 91-92.)

Les négociations ne s'annoncent pas faciles, non pas tant parce que les Canadiens ne seraient pas conscients de l'importance de les mener à bien, mais plutôt parce que la cohésion du Canada et de l'identité de l'interlocuteur canadien serait temporairement mise en doute:

> Il n'existe certainement pas un «Nouveau Canada anglais» en dehors du Québec, qui pourrait accepter de négocier d'égal à égal avec le Québec. Il y a, à travers le Canada, y compris le Québec, de nombreuses sociétés formées de Canadiens de langue anglaise. (Michael Behiels, 1992: 157.)

> Il y aura de sérieux obstacles à l'indépendance du Québec. Les gens dans le reste du Canada voudront restructurer ce qui reste de leur pays en même temps que le Québec. Alors, toute entente devra être soumise à un autre référendum. (Patrick Monahan, cité dans *GAZ*, 7 mai 1995.)

> Le Canada anglais sera incapable de négocier avec le Québec, même s'il le voulait. [...] Le Canada n'aura plus de chef, ni de gouvernement, ni de plan préparé à l'avance sur ce qu'il veut devenir. [...] Le Canada anglais traversera une période de grande instabilité qui sera marquée d'excès de langage, chacun tentant d'attirer l'attention et de défendre ses intérêts. Rien n'assure qu'il sortira un seul peuple du reste du Canada. (Alan Cairns, cité dans *PRE*, 16 janvier 1995.)

Mais il y aurait urgence. Il ne s'agit plus d'une négociation constitutionnelle où l'on préfère le *statu quo* à une entente. Ici, le prix de la mésentente serait exorbitant:

> Le Parlement [du Canada] devrait répondre à la déclaration [d'indépendance] en conformité avec ses pouvoirs constitutionnels. [...] Toutefois, ses compétences actuelles lui permettent de légiférer pour faire face aux urgences nationales, et cela devrait lui suffire pour donner une réponse temporaire. (Neil Finkelstein et George Vegh, 1992: 54, 55.)

Les Canadiens devront-ils aller aux urnes? Selon plusieurs commentateurs, il est inconcevable que Jean Chrétien se pose comme chef du Canada pour négocier avec le Québec, parce qu'il est lui-même québécois. Le leader du

Reform Party, Preston Manning se présente en tant que chef possible du Canada anglais:

> Il y aurait de fortes chances d'élections puisqu'il s'agirait d'une crise de confiance à l'endroit du gouvernement fédéral. (Preston Manning, cité dans *PRE*, 26 mai 1994.)
>
> Les Canadiens attendent que les Québécois eux-mêmes décident ce qu'ils veulent vraiment. Alors seulement révéleront-ils ce qu'ils désirent de leur côté. [...] Une élection générale serait sans doute tenue pour élire un gouvernement doté d'un mandat précis — ce que Jean Chrétien n'a pas —, celui de négocier les modalités de la rupture. [...] La nouvelle administration serait une sorte de gouvernement d'unité nationale comprenant le Reform Party. Alors seulement les Canadiens seront-ils prêts à parler aux Québécois. (Richard Gwyn, *TS*, 11 mai 1994.)

Certains disent au contraire que le gouvernement fédéral pourrait faire face à la situation et que de nouvelles élections ne seraient pas nécessaires:

> Selon notre tradition parlementaire, les gouvernements ont toute l'autorité nécessaire pour faire face à des situations nouvelles sans demander de mandat spécifique, et cela arrive régulièrement. (Patrick Monahan, 1995: 40.)

Dans un tel cas, la négociation pourrait se dérouler sous le coup de l'article 43 de la Constitution. Un changement constitutionnel qui concerne une seule province ne demande que le consentement du Parlement canadien et de la législature concernée. Pour d'autres encore, la négociation devra être menée conjointement par Ottawa et les provinces canadiennes-anglaises:

> Le fait que le gouvernement fédéral doive obtenir un mandat politique avant d'entamer des négociations de séparation avec le Québec n'est pas un mince problème, mais il n'est pas insurmontable. [...] Une solution possible serait que le gouvernement fédéral et les neuf provin-

> ces du reste du Canada créent une sorte d'autorité négociatrice. (Patrick Monahan, 1995: 19, 21.)

> On peut concevoir une ratification de l'entente par le Parlement seulement, mais ce ne serait pas l'idéal. Les assemblées législatives provinciales devraient intervenir, et une version du mode de révision constitutionnelle du 7/50 [sept provinces comptant au moins 50 % de la population] devrait être appliquée. (Gordon Gibson, 1994*a*: 44.)

> Mon opinion, c'est que la Saskatchewan sera à la table. De telles négociations exigent que toutes les provinces soient à la table, étant donné le mode de révision [constitutionnelle]. Et toutes les questions conséquentes [à un vote pour le OUI] affecteraient considérablement les gouvernements provinciaux. Ottawa n'aura pas l'autorité constitutionnelle de négocier cela. (Roy Romanow, cité dans *GAZ*, 26 mars 1995.)

En définitive, il n'y a que la question du retrait du Québec de la fédération qui requiert l'assentiment des autres provinces. Ensuite, les détails des traités seront la prérogative d'Ottawa puisqu'il s'agira d'une négociation entre pays souverains.

Le Canada est-il prêt?

Pour des raisons évidentes, les politiciens fédéralistes n'osent pas faire de spéculations sur la situation qui régnerait après la souveraineté du Québec, sauf pour en faire valoir les inconvénients. Est-ce à dire que personne ne serait préparé à prendre la direction politique du Canada anglais?

> Une des questions que les historiens poseront, parce que nos descendants voudront en connaître la réponse, c'est «Jusqu'à quel point étions-nous préparés?» [...] Je prédis que la réponse sera que nous étions lamentablement mal préparés. [...] Le reste du Canada, ou Canada anglais, est une catégorie sociologique, et non pas une communauté politique organisée. [...] Personne n'a la responsabilité officielle du reste du Canada. (Alan Cairns, 1995: 2, 7, 6.)

> Le gouvernement fédéral est mal préparé pour faire face à une situation qu'il n'a pas cherchée: un gouvernement canadien en position de leadership ne traite pas le reste du Canada comme un peuple potentiellement indépendant, mais comme une composante à part entière d'un Canada dualiste. (Alan Cairns, 1991: 95.)

Pourtant, il ne fait aucun doute que les autorités politiques d'Ottawa ne chôment pas et qu'il existe un épais dossier au bureau du Conseil privé à Ottawa où l'on spécule sur des scénarios post-référendaires, selon cet historien de Toronto:

> Ils seraient irresponsables s'ils n'élaboraient pas des plans pour parer à toute éventualité. (Michael Bliss, cité dans *EJ*, 28 mai 1994.)

Plus que toute autre province canadienne, l'Ontario et le Québec ont intérêt à maintenir leurs échanges économiques réciproques. Frances Lankin, ministre de l'Ontario, a candidement avoué que son gouvernement avait réfléchi à des scénarios post-référendaires:

> De toute évidence, notre première préoccupation est l'avenir des entreprises ontariennes si le Québec s'en va. Nous aurons un plan d'action pour nous éclairer sur cette question si nous nous retrouvons dans un autre pays que les Québécois. [...] Nous devons déterminer ce qui arriverait aux ententes commerciales interprovinciales, nationales et internationales. (Frances Lankin, citée dans *TS*, 27 mai 1994*a*.)

Elle a été rappelée à l'ordre par son chef. Pourtant, un observateur attentif de la scène politique ontarienne n'a pas été étonné de cette déclaration:

> La semaine dernière, son erreur a été d'être honnête. [...] Ce n'est pas surprenant qu'un gouvernement de l'Ontario responsable essaie de prévoir ce qui pourrait arriver si le Québec partait. Ce n'est pas surprenant qu'un tel gouvernement puisse même élaborer des stratégies pour faire en sorte qu'une telle séparation soit la moins douloureuse possible. (Thomas Walkom, *TS*, 31 mai 1994.)

D'autres membres du cabinet ontarien ont commenté cette possibilité, mais sans confirmer le travail déjà fait. Par exemple, le ministre des Finances a affirmé:

> On ne peut ignorer pour toujours [le besoin de se préparer à toute éventualité] mais je préférerais attendre qu'il soit nécessaire de le faire. (Floyd Laughren, cité dans *OC*, 28 mai 1994.)

Cependant, des négociations avec un Québec souverain avaient été envisagées dès 1991 par Toronto, comme l'a confirmé le représentant de l'Ontario auprès du gouvernement du Québec:

> Le Canada anglais a intérêt à négocier avec le Québec, même un Québec indépendant. C'est difficile de prévoir le ton des négociations, mais il va y avoir une association. L'Ontario ne considérera pas cela comme une déclaration de guerre ou la fin du monde, si la population du Québec vote démocratiquement en faveur d'une modification de ses rapports avec le reste du Canada. (Steven Borstein, cité dans *SOL*, 31 mai 1994.)

Le Canada défendra ses intérêts

> Le lendemain d'un OUI, le premier ministre du Canada aurait deux responsabilités évidentes: assurer l'unité de ce qui reste du Canada et négocier la meilleure entente possible avec le Québec. (Stanley Hartt, *GAZ*, 23 mars 1995.)

Preston Manning entend bien remplacer Jean Chrétien comme premier ministre du Canada, dans le but bien arrêté de défendre le Canada anglais:

> Ma seule responsabilité ne consisterait pas à négocier la cassure du pays, mais de voir aux intérêts des Canadiens qui resteraient. (Preston Manning, cité dans *PRE*, 26 mai 1994.)

Les Canadiens ont bien compris l'attitude du Reform Party dans ces circonstances:

> Si le Québec décide de se séparer — et que le reste d'entre nous décide de permettre le divorce —, ce ne sera pas une rupture à l'amiable. La probabilité que le Reform Party gagne la prochaine élection va monter en flèche car sa campagne se fera à l'aide de promesses de jouer dur et de s'assurer que le reste du Canada ne se fait pas avoir. Avec le Reform, on ne s'écraserait pas sur la question de la dette fédérale ou du droit des autochtones québécois de conserver leurs réserves comme territoire canadien. (Sean Durkan, *OS*, 15 mars 1995.)

Tous les Canadiens ne sont pas nécessairement aussi déterminés que Manning. Cela dépend, entre autres, de leur origine régionale:

> Nous nous retrouverons devant un événement inédit dans notre histoire et ceux qui devront y faire face ne pourront s'inspirer d'aucun précédent. Au Canada, l'intérêt pour une entente exhaustive avec un Québec indépendant sera différent d'une province à l'autre. (Maureen Covell, citée dans *GAZ*, 7 mai 1995.)

> L'Ouest pourrait bien préconiser une tactique de négociation brutale, tandis que l'Ontario pourrait préférer, quant à lui, une approche pragmatique. Les Maritimes observeraient nerveusement la promotion des intérêts régionaux mettre en danger l'engagement national à la péréquation et à l'intégration. (George Fallis, 1992: 59.)

Ce qui importe, finalement, c'est que la raison l'emporte:

> Les Canadiens devront se serrer les coudes et tirer profit de cette situation pénible. Si le Canada doit établir des relations économiques avec un Québec souverain, les Canadiens devront maîtriser leurs émotions et se laisser guider par leurs intérêts, non par la rancune. (Patrick Grady, 1991*a*: 161.)

Dans ces négociations, on estime que tout sera sur la table:

> Si on en vient à la rupture, les Québécois devront absolument savoir qu'on attendra des dirigeants canadiens

qu'ils négocient dans l'intérêt national du Canada et dans celui des droits démocratiques des Canadiens, et cela comprend l'intégrité territoriale du Canada, le statut de l'Ungava et les droits démocratiques des autochtones. (Éditorial du *HCH*, 20 mai 1994.)

Le Québec a droit à une décision unilatérale — oui ou non. À part cela, tout est sujet à négociation. (Éditorial du *CH*, 19 mai 1994.)

Si les Québécois veulent négocier avec ce qui reste du Canada une transition ordonnée vers le statut souverain, [...] et si le reste du Canada veut effectivement négocier, alors tout sera sur la table, quoi qu'en dise Parizeau et qu'il aime cela ou non. (Don MacPherson, *GAZ*, 19 mai 1994.)

Y aura-t-il un gagnant?

Jusqu'au rapatriement de la Constitution en 1982, le Québec jouissait d'une certaine force politique en refusant le rapatriement tant que n'aurait pas été réalisé un nouveau partage des pouvoirs entre le fédéral et les provinces. Par la souveraineté, le Québec cherche à s'extirper d'une situation constitutionnelle bloquée, la conséquence en étant que le rapport de forces sera encore plus important qu'auparavant:

D'une manière ou d'une autre, toutes les options politiques du Québec ont visé l'établissement d'un *rapport de forces* [en français dans le texte] avec le reste du Canada, la question étant de savoir quelle stratégie particulière serait adoptée dans le but de faire avancer les intérêts du Québec. (Jeffrey Simpson, 1993: 287.)

Les relations entre un Québec indépendant et un Canada sans le Québec, ainsi que toute forme spécifique d'association économique, sera le résultat du rapport de forces. (Reg Whitaker, 1995: 201.)

Cette fois-ci, le Canada serait obligé de s'entendre avec le Québec, car il ne pourrait se rabattre sur son option préférée, le *statu quo*:

> Toutes les solutions sont préférables à la séparation complète [...] En effet, [les Québécois] pourraient être indépendants jusqu'à un certain point, avec une union douanière. La solution n'est peut-être pas la République du Québec, mais seulement la souveraineté pour le Québec. (Jack Webster, 1991: 238.)

Mais le Québec n'aurait sans doute pas tout ce qu'il avait demandé au début des négociations:

> Que serait le pouvoir de négociation du Québec? [...] Sur certaines questions, le rapport de forces serait à l'avantage du Québec, en raison de la dépendance du reste du Canada à l'endroit des marchés ou des investissements du Québec, mais cet avantage serait contrebalancé par sa vulnérabilité dans d'autres secteurs. Au bout du compte, le pouvoir de négociation du Québec reflétera sa puissance économique. (Robert Young, 1992*a*: 129.)

> Au Québec, on a comme l'illusion qu'une fois souverain, tout se fera d'égal à égal. (Alan Freeman et Patrick Grady, cités dans *PRE*, 19 mars 1995.)

> Dans l'Union européenne, les grands pays ont un poids politique plus important que les petits. Sans cela, la France et l'Allemagne pourraient être menées par le Danemark et le Luxembourg. Le Québec pourrait difficilement espérer mieux qu'une représentation proportionnelle à sa population. (Ken MacQueen, *OC*, 12 avril 1995.)

Par conséquent, les négociations entre le Québec et le Canada anglais se feraient sans doute d'égal à égal, mais les institutions communes qui en résulteraient ne seraient pas paritaires. Le mode de représentation politique qui s'appliquerait devrait s'inspirer de ce qui existe en Europe. Ainsi, plus l'intégration politique sera grande, plus on reproduira le rapport d'inégalité entre le Québec et le reste du Canada.

Le projet souverainiste prévoit une période de transition entre le référendum et l'entrée en vigueur de la souveraineté du Québec. Dans quelles conditions va-t-elle se dérouler? On a souvent évoqué des catastrophes économiques. Pourtant, la capacité économique du Québec ne changera pas du jour au lendemain. Dans une économie ouverte, c'est l'attitude des investisseurs qui est cruciale. Elle est elle-même conditionnée par la réaction des politiciens. Plus vite on réglera les litiges, plus vite les conditions économiques reviendront à la normale. C'est une des raisons importantes pour lesquelles le Canada anglais voudra négocier une association économique avec le Québec.

❑

Pour en savoir plus long

CÔTÉ, Marcel, «La récession du divorce», *Choix, série Québec-Canada*, Institut de recherche en politiques publiques, vol. I, n° 11, juin 1995, p. 2-20.

MARTIN, Pierre, «L'opinion des Canadiens sur une association économique avec le Québec», *Le Devoir*, 22-23 juillet 1995, p. A7.

PRESSE CANADIENNE, «La dette forcera Ottawa à négocier, dit LeHir», *La Presse*, 20 janvier 1995, p. B12.

PROULX, Pierre-Paul, «Le pourquoi économique de la souveraineté et les coûts du fédéralisme pour le Québec», *Choix, série Québec-Canada*, Institut de recherche en politiques publiques, vol. I, n° 11, juin 1995, p. 21-36.

CHAPITRE V

La reconnaissance du Québec

La reconnaissance de la souveraineté du Québec

Par le Canada

La reconnaissance de la souveraineté du Québec par la communauté internationale serait grandement facilitée si le Canada en prenait l'initiative:

> Une déclaration unilatérale ne suffit pas pour obtenir l'indépendance. [...] La reconnaissance par l'État prédécesseur [le Canada] ou la direction effective du territoire par le nouvel État est nécessaire pour accéder à l'indépendance. (Neil Finkelstein et George Vegh, 1992: 55.)

> Si le Canada reconnaît la souveraineté du Québec, ce dernier pourrait probablement devenir membre du GATT et de la nouvelle Organisation mondiale du commerce sans grande difficulté. (Daniel Schwanen, 1995: 2.)

> La reconnaissance du Québec dépendrait essentiellement de la façon dont l'indépendance se réaliserait: après ou durant une négociation, avec ou sans le consentement du Canada, avec ou sans l'appui d'une écrasante majorité de la population du Québec. (John Halstead, 1991: 136.)

Pour que le Canada soit le premier à reconnaître la souveraineté du Québec, il faudrait qu'on s'entende sur le processus de sécession:

> Un référendum serait effectivement une expression très éloquente de l'opinion publique au Québec. [...] Mais ce n'est clairement pas un instrument légal pour réformer la Constitution afin de séparer le Québec du Canada. [...] La réponse constitutionnelle — c'est-à-dire légale — à un référendum majoritaire en faveur de la séparation n'est toujours pas inventée. [...] Ce processus ne peut être élaboré qu'avec le consentement de toutes les parties intéressées. (Éditorial du *HCH*, 1er juin 1994.)

Par les autres pays

La reconnaissance diplomatique est plus difficile à obtenir depuis quelques années:

> Étant donné les désastres qui ont suivi la reconnaissance prématurée de la Croatie et de la Bosnie, il est loin d'être certain qu'une telle reconnaissance serait accordée au Québec si le Canada anglais et les peuples autochtones remettaient en question ses frontières. (John McGarry, *GM*, 16 mai 1994.)

> La reconnaissance d'un Québec séparé représenterait un risque important pour plusieurs pays dont l'unité nationale et l'intégrité territoriale pourraient être menacées par certains groupes qui choisiraient d'imiter l'exemple du Québec. (Sharon Williams, 1992: 22.)

> Je m'attends à ce que la tentative de Parizeau [...] soit rejetée comme une entreprise frauduleuse, probablement par les Québécois, mais si nécessaire par les pays avec lesquels Parizeau ambitionne d'échanger des ambassadeurs. (Conrad Black, *GM*, 21 février 1995.)

Des Canadiens farouchement opposés au départ du Québec militeraient contre sa reconnaissance par des pays tiers, et sans doute aussi activement que les souverainistes l'ont fait jusqu'ici pour obtenir cette reconnaissance:

> Il y a quelques mois, le chef du Bloc Québécois Lucien Bouchard est venu ici pour rencontrer le secrétaire général de l'ONU, Boutros Boutros-Ghali. Bouchard a laissé l'impression que l'indépendance du Québec serait acceptable à l'échelle internationale. Mais c'était de la pure propagande. [...] Le Parti Québécois fait face aux mêmes prétentions à «l'autodétermination» de la part de ses «minorités» anglophone et autochtone. Les deux tiers du nord du Québec et une bonne partie de Montréal «appartiennent» à des minorités. Mais Bouchard a effectivement dit que les anglophones ne présentent pas les caractéristiques d'un «peuple» comme le font les francophones. (Diane Francis, *FP*, 7 juin 1994.)

Le grand chef des Cris du Québec, Matthew Coon-Come, a fait les manchettes au Canada anglais, en affirmant que:

> On ne devrait pas permettre au Québec d'entrer dans le concert des nations si cela ne peut s'accomplir qu'en enfreignant et en niant nos droits fondamentaux. [...] Le Québec a peut-être des revendications légitimes, mais il ne peut rien imposer au peuple cri ou au territoire cri qui nierait le droit du peuple cri de choisir comment il sera gouverné. (Matthew Coon-Come, cité dans *GM*, 15 octobre 1994.)

Cependant, ni l'accord du Canada ni celui des autochtones n'est formellement requis pour que le Québec soit reconnu:

> L'accession ou non du Québec au rang de pays souverain ne sera pas décidée devant les tribunaux, mais dans l'arène politique. Les pays deviennent souverains lorsqu'un nombre suffisant de pays d'une certaine importance les reconnaissent comme tels. (Don MacPherson, *GAZ*, 19 mai 1994.)

> Si une juridiction distincte telle que le Québec vote démocratiquement pour s'autodéterminer tout en promettant d'être honnête dans la distribution des actifs, etc., une grande partie de la communauté internationale voudra appuyer ses aspirations. (William Gold, *CH*, 13 janvier 1995.)

Ne vous mêlez pas de ça!

Les Canadiens anglais sont particulièrement attachés à la souveraineté internationale du Canada. Leurs réactions aux voyages internationaux de Lucien Bouchard en témoignent. Ils accepteraient mal par exemple qu'un autre pays que le Canada soit le premier à reconnaître le Québec: après tout, le statut du Québec est encore une «question intérieure».

> Ce serait une grossière erreur de la part des autres États, qu'ils soient ou non des alliés du Canada, d'adopter toute autre attitude que celle de la neutralité dans ce débat potentiellement dévastateur. Par exemple, s'interposer en reconnaissant instantanément une déclaration unilatérale d'indépendance au risque de nuire à l'intégrité et à la survie du Canada lui-même susciterait de la rancune. (Maxwell Cohen, *TS*, 12 février 1995.)

> À tout le moins, on demandera aux États-Unis de ne pas mettre le nez dans nos affaires, ce qui veut dire de ne pas reconnaître le Québec ou de ne pas reconduire des traités ou des ententes comme le libre-échange ou le Pacte de l'auto tant que les conditions du divorce n'auront pas été arrêtées à la satisfaction du reste du Canada. (Sean Durkan, *OS*, 15 mars 1995.)

> Les Américains doivent s'accommoder de ce qui adviendra du Canada. S'ils prennent parti dans ce qui constitue essentiellement un problème canadien, ils mettront en péril leurs chances de maintenir des relations harmonieuses avec le Canada, ou avec ce qui émergera après le Canada que nous connaissons aujourd'hui. (Jeffrey Simpson, 1990-1991: 86.)

Bref, le Canada désire conserver sa marge de manœuvre dans ses négociations avec le Québec.

Le Québec, acteur international

Les traités

Le Canada n'exerce sa personnalité internationale que depuis un peu plus de cinquante ans. Autrefois, c'était la Grande-Bretagne qui le représentait à l'étranger. Le Canada a signé de nombreux traités depuis. Un Québec souverain devra-t-il renégocier toutes les ententes déjà conclues par le Canada dont il était, à titre de province canadienne, partie prenante?

> Durant les 124 ans où nous avons été un pays, nous avons mis en place un réseau très complexe de traités internationaux. Le Québec n'en a aucun et devra les négocier. (Patrick Grady, 1991*b*: 123.)

> Sur la scène internationale, les auteurs de l'avant-projet de loi [sur la souveraineté] font un acte de foi en présumant qu'un Québec souverain, «s'il prend les mesures requises», se retrouvera comme par magie membre des grandes alliances commerciales, comme le GATT et l'ALENA. (Éditorial du *FP*, 7 décembre 1994.)

> La position fédéraliste est que le Québec devrait faire la queue derrière toutes les autres nations qui ont déjà exprimé un intérêt à joindre l'ALENA. Cette perception, exprimée également par l'ambassadeur du Mexique au Canada l'automne dernier, représente une lecture beaucoup plus exacte des affaires internationales que l'interprétation calculée que le Parti Québécois essaie de vendre. (Éditorial du *FP*, 27 janvier 1995.)

> L'adhésion du Québec à l'ALENA et au GATT est possible, mais elle ne se fera pas automatiquement ou sans douleur. (Brian Russell, *GAZ*, 1er septembre 1994*a*.)

Or, il existe une règle autorisant un nouvel État à hériter des engagements internationaux de l'État prédécesseur. Heureusement que la règle de la succession d'États n'est pas inconnue de tous les intellectuels du Canada anglais:

> L'adhésion du Québec à l'Accord général sur les tarifs et le commerce (GATT) serait relativement automatique,

> selon l'article XXVI du GATT. En supposant que le Canada ne contesterait pas la souveraineté d'un Québec qui aurait voté en faveur de l'indépendance, il est peu probable que de sérieux problèmes surgissent sur cette voie. (Richard Lipsey, 1991: 58.)

Bref, en tant que pays souverain, le Québec peut devenir membre d'organisations internationales, petites et grandes, tout autant que le Canada et les États-Unis. Mais l'Accord de libre-échange nord-américain serait-il aussi avantageux que l'union économique actuelle pour les échanges commerciaux entre le Canada et le Québec?

> La création de nouvelles frontières, même établies par des négociations à l'amiable, implique des coûts considérables. [...] Les frontières ont de l'importance. Les accords de libre-échange ne les éliminent pas complètement. [...] La seule création de nouvelles frontières internationales nuira au commerce entre le Québec et le reste de l'Amérique du Nord. (Stanley Hartt, *FP*, 19 novembre 1994.)

Toutefois, il semble que l'ALENA contribuerait au maintien d'une bonne partie des liens économiques avec le Canada anglais:

> Une grande partie de ce que le Québec propose comme espace économique Québec-Canada peut se réaliser automatiquement si le Québec devient membre de l'ALENA. [...] Il y a de nombreuses raisons de recommander cet arrangement au Canada: cela préserverait les acquis du commerce actuel. [...] Ainsi, une fois résolus le partage de la dette et les autres questions pendantes, le Canada devrait appuyer la candidature du Québec à cette structure. (Melville McMillan, Ken Norrie et Brad Reid, 1994: 13, 14.)

Le Québec pourra donc adhérer à l'ALENA, mais il devra satisfaire à des exigences nouvelles:

> L'adhésion à l'ALENA exigerait probablement des négociations avec les États-Unis, que ces derniers pourraient

> utiliser pour arracher des concessions à la fois au Québec et au RDC [reste du Canada]. (Daniel Schwanen, 1995: 2.)
>
> Les règles du GATT sur les politiques d'achat gouvernementales ne s'appliquent pas aux provinces ni à leurs agences. De la même façon, les obligations en ce qui concerne les investissements découlant de l'Accord de libre-échange ne s'appliquent pas spécifiquement aux provinces. En déclarant sa souveraineté, le Québec démontrerait également son intention d'assumer ces nouvelles obligations. (Gordon Ritchie, 1991: 5.)
>
> À mon avis, l'issue la plus probable serait que le Québec devienne pays membre de l'ALENA après des négociations difficiles et douloureuses. Il est absurde de suggérer que le reste du Canada, dans sa colère, refuserait de commercer avec le Québec et bloquerait son entrée à l'ALENA. Le commerce, ça va dans les deux sens, et les deux parties en bénéficient. (Gordon Ritchie, *GAZ*, 1er septembre 1994.)

La défense nationale

Certains observateurs, sans doute peu habitués à réfléchir à cette éventualité, semblent penser que «le départ du Québec» signifierait «la disparition du Québec». En effet, quand ils expliquent que «le Canada demeurera sur la scène internationale», ils oublient de mentionner que le Québec y fera également son apparition. Et quand ils ajoutent que «les bases de l'armée de l'air canadienne dans l'est du pays (maintenant installées à Bagotville) devraient être déménagées, peu importe la nouvelle localisation» (Harriett Critchley, 1991: 42, 49), ces propos laissent entendre que le Québec n'aurait à peu près pas d'armée:

> Des chiffres établis par le ministère de la Défense nationale indiquent que les forces armées ont dépensé 2 milliards par année au Québec. Si les soldats canadiens se retiraient du Québec, les effets équivaudraient à la perte d'Hydro-Québec, la deuxième industrie en importance au Québec, après Bell Canada. (Jonathan Lemco, 1992: 94.)

Si le Canada possède une armée, pourquoi le Québec ne pourrait-il avoir aussi la sienne?

> Il est difficile d'imaginer ce que le Québec ferait d'une armée indépendante. [...] Que ferait le Québec avec une marine et une infanterie? Des patrouilles côtières pourraient être utiles dans le golfe du Saint-Laurent, et la protection de la souveraineté dans le nord du Québec pourrait exiger une nouvelle base dans la région. [...] Une force aérienne apparaîtrait comme une dépense superflue et coûteuse (Steven Holloway, 1992: 538.)

La solution à ces problèmes réside, comme maintenant, dans une alliance militaire pour la sécurité collective de l'Amérique du Nord et de l'Atlantique Nord:

> En observant la partie est du Canada actuel du point de vue de la défense nationale, l'alliance géographique naturelle se trouve entre les provinces atlantiques et le Québec. Cela ne changerait pas dans un Canada divisé. [...] Un plan de sécurité commun avec les États-Unis et le Canada pourrait bien être la seule solution pratique aux problèmes de défense nationale. (Peter Haydon, 1991: 33, 34.)

> Il serait prudent pour le Canada et le Québec de commencer immédiatement à mettre en place des mécanismes et des institutions leur permettant d'établir un régime de défense et de répondre assez tôt à des frictions internationales. [...] Les avantages de la coopération entre les deux forces et avec les forces américaines semblent tellement évidents que les désaccords sont susceptibles d'être mineurs et sans importance. (Douglas Bland, 1992: 207, 209.)

> On peut et on doit coopérer dans le domaine de la défense. Ces alliances ne dépendent pas de l'intégration des souverainetés. On pourrait tout aussi bien avancer qu'en étant deux, [le Canada et le Québec] y seront deux fois plus influents qu'en étant un acteur unique. (Jane Jacobs, 1991: 65.)

La puissance militaire du Québec ne serait pas négligeable:

> Un Québec indépendant voudrait probablement se donner une présence internationale en Europe en joignant l'OTAN et la Conférence pour la sécurité et la coopération en Europe. Rappelons que le Québec a une plus grande population que quatre membres de l'OTAN, qu'il est plus prospère que sept d'entre eux. Un Québec indépendant serait également plus riche que toutes les anciennes nations membres du pacte de Varsovie. (John Thompson, 1991: 212-213.)

Les répercussions de la création d'un nouveau pays

Sur le plan diplomatique, un Québec souverain serait clairement gagnant, car il accéderait au statut d'acteur à part entière. Dans le domaine économique, les tendances récentes à la globalisation profitent aux petits États:

> [Les petits pays survivent dans le nouvel ordre économique mondial, parfois mieux que les grands.] Le Québec pourrait donc s'en tirer tout seul, s'il agit intelligemment. (John Kenneth Galbraith, cité dans *SOL*, 16 octobre 1994.)

Corollairement, tout en conservant sa personnalité et sa réputation, le Canada serait perdant parce que son poids économique est le principal critère de son statut de «puissance moyenne»:

> Le Canada ne serait plus admissible au G-7; notre rôle au sein des Nations Unies, de l'OTAN et des autres organisations internationales serait grandement diminué et le Québec devrait demander son admission à ces organisations. (John Halstead, 1991: 137.)

> La souveraineté du Québec aura des conséquences considérables sur la politique étrangère du Canada. En 1990, les 6,8 millions de Québécois représentaient près du quart de la population canadienne de 26,7 millions. Le produit national brut de la province était de 118 milliards de dollars américains, soit un peu moins du quart du PNB canadien. Ainsi, la séparation du Québec signifierait une diminution importante de la puissance nationale du Canada. (Steven Holloway, 1992: 538.)

Par ailleurs, on assisterait à l'établissement de relations triangulaires entre le Québec, le Canada et les États-Unis:

> L'indépendance du Québec serait d'une grande importance stratégique pour les États-Unis, car l'apparition d'un nouveau voisin à leur frontière nord changerait l'ordre du jour au chapitre des relations militaires, tout en compliquant la collaboration existante: [...] quel serait le statut des centaines d'ententes bilatérales de défense continentale entre le Canada et les États-Unis? (Paul Buteux, 1991: 56.)

Déjà, les nationalistes canadiens redoutent et dénoncent les bonnes relations qu'entretiendraient le Québec et les États-Unis. Ils mettent les Québécois en garde contre les effets possibles d'un tel rapprochement:

> Il semble clair qu'un Québec indépendant va rapidement se placer en étroite alliance avec les États-Unis. [...] Pour le Canada, l'indépendance du Québec ne signifiera plus seulement la division en deux du pays. Ce sera la création d'un nouvel État qui deviendra — en plein cœur du Canada — une partie intégrante de l'économie et du système de défense américains. (Thomas Walkom, 1991: 368, 369-370.)

> Un Québec qui se détournerait du Canada au profit des États-Unis serait automatiquement forcé d'utiliser davantage l'anglais. [...] Les relations commerciales entre le Québec et le Canada, et entre le Québec et les États-Unis se dérouleraient en anglais. Le système scolaire tout entier devrait inévitablement produire des étudiants qui maîtrisent l'anglais. (Mel Hurtig, 1992: 305.)

On est prompt à signaler que le Québec profite actuellement des efforts canadiens de promotion du commerce:

> Jean Chrétien dirige cette semaine une énorme délégation commerciale en Asie. [...] Le Québec profitera d'une part des ventes et des revenus qui en résulteront, mais seulement en tant que partie du Canada. [...] L'indépendance du Québec signifierait la fin de sa participation aux efforts de promotion en Asie. [...] En tant que pro-

> vince canadienne, le Québec profite davantage du commerce international et des possibilités d'investissement. (Éditorial du *WFP*, 12 novembre 1994.)

Après la souveraineté, cette coopération pourra-t-elle se poursuivre? Il en irait de l'intérêt mutuel des deux partenaires:

> Chacun des deux pays voudra assurer sa survie économique et politique et voudra édifier une crédibilité politique et économique internationale. Cela exigera une certaine dose de coopération, mais pourrait aussi causer de la rivalité, une course à l'acceptation. Par ailleurs, en raison de leur importance, le commerce et les investissements interprovinciaux actuels, ainsi que les réseaux de communication existants, forment la base de leurs intérêts communs. (Maureen Covell, 1992: 27.)

En résumé, la reconnaissance de l'État successeur (le Québec) par l'État prédécesseur (le Canada) entraînerait la reconnaissance automatique des deux nouveaux pays souverains. S'il est éminemment souhaitable que cela se produise, cela n'est pas obligatoire. Le Québec pourrait accéder au statut d'État souverain sans la permission du Canada. Mais ce serait beaucoup plus compliqué. Comme pour les autres aspects abordés précédemment, le Canada anglais et le Québec trouveraient leur intérêt à coopérer sur la scène internationale et dans le domaine de la défense du continent.

❑

Pour en savoir plus long

BEAUDOIN, Louise et Jacques VALLÉE, «La reconnaissance internationale d'un Québec souverain», dans Alain-G. Gagnon et François Rocher (dir.), *Répliques aux détracteurs de la souveraineté du Québec*, Montréal, VLB éditeur, 1992, p. 181-205.

BERNIER, Ivan, «Le maintien de l'accès aux marchés extérieurs: certaines questions juridiques soulevées par l'hypothèse de la souveraineté du Québec», *Revue québécoise de droit international*, vol. VII, nº 1, 1991-1992, p. 76-81.

EMMANUELLI, Claude, «L'accession du Québec à la souveraineté et la nationalité», *Revue générale de droit*, vol. XXIII, n° 4, 1992, p. 519-559.

JOCKEL, Joseph T., *If Canada Breaks Up: Implications for U.S. Policy*, University of Maine, Canadian-American Center, coll. «Canadian-American Public Policy», n° 7, septembre 1991, 44 p.

LANDRY, Bernard, «GATT et ALENA: un simple changement de statut pour le Québec après l'indépendance», *La Presse*, 2 février 1995, p. B3.

VENNE, Jules-Pascal, «Le Québec et le droit international», *Options politiques*, vol. XVI, n° 3, avril 1995, p. 32-34.

WILLIAMS, Paul R., «State succession and the international financial institutions: Political criteria v. protection of outstanding financial obligations», *International and Comparative Law Quarterly*, vol. XLIII, octobre 1994, p. 776-808.

CHAPITRE VI

Le nouveau partenariat Québec-Canada

L'association Québec-Canada

Il y a près de quatre ans déjà, un groupe d'intellectuels canadiens-anglais commençaient à se préparer mentalement à négocier avec le Québec, car ils croyaient la souveraineté inévitable:

> Dans les cinq prochaines années, le Québec deviendra souverain et voudra négocier une nouvelle relation avec le Canada. (Daniel Drache et Roberto Perin, 1992: iv.)

Toutefois, dans certains milieux, on trouve que le projet d'association avec une province qui viendrait de faire sécession est illogique:

> Après nous être démenés ensemble durant les 126 dernières années pour mettre au point un système politique et économique éprouvé comme le fédéralisme, pourquoi le Québec voudrait-il le démolir pour le reconstruire à nouveau? Une autre question se pose également: Après les avoir vus démembrer le pays, pourquoi le reste du Canada serait-il impatient d'admettre les Québécois comme partenaires économiques? (Éditorial du *TS*, 17 mai 1994.)

> C'est comme vouloir planifier la lune de miel au moment du divorce. Le *mood* dans le reste du pays face au Québec, c'est que t'es dedans ou dehors, pas les deux. (Steven Harper, cité dans *PRE*, 21 avril 1995.)

Pourtant, il y a tout lieu de penser que, par la force des choses, les autorités canadiennes-anglaises se persuaderont qu'il faudra négocier. La nécessité de partager la dette du Canada est un argument incontournable en faveur de négociations entre le Canada et le Québec.

Le partage de la dette

La dette du Canada relève de la responsabilité du gouvernement canadien, et c'est ce qui donne au Québec un très grand pouvoir de négociation. Même s'ils ont quelquefois des «accès» d'idéologie, les financiers sont réalistes. L'un d'entre eux va même jusqu'à avouer que non seulement la question de la dette avantage les souverainistes, mais que l'argument de la nécessaire négociation est difficile à éluder:

> Peu importe ce qu'on dit, Lucien Bouchard répond: «Si le Québec vote pour la séparation, vous devrez nécessairement être coopératifs.» Qu'on pense ce qu'on voudra de la position de Bouchard, il n'y a aucune réponse valable à cet argument. Nous avons cette dette énorme à partager. Je crois que Bouchard sait qu'il tient là son meilleur élément de négociation. (Leo de Bever, cité dans *FP*, 31 mai 1994.)

> Le reste du Canada sait très bien qu'il restera avec la dette sur les bras s'il n'y a pas d'entente. [...] En pratique, le Canada ne pourrait pas retenir un Québec qui ne veut pas demeurer avec lui. De son côté, le Québec pourrait trouver avantageux de lui abandonner sa part de la dette. (John Chant, cité dans *FP*, 26 mai 1994.)

> Sur le plan économique, la seule façon de gagner lors d'une séparation du Québec est d'être le premier à sortir [du Canada] et éviter de payer cette dette immense. Le reste du Canada est très vulnérable. C'est la dette fédérale. Le gouvernement fédéral existera toujours, tout

> comme neuf des partenaires. C'est ça qui compte. (Robert Mansell, cité dans *GM*, 9 février 1995*b*.)
>
> Toute cession de la dette canadienne au Québec exigerait le consentement des créanciers, qui ne sera probablement pas accordé. Il sera donc sans doute nécessaire d'établir un accord sur le partage de la dette selon lequel le Québec compenserait le Canada pour les paiements que celui-ci devra verser au nom du Québec (Patrick Monahan, 1995: 24.)

Si le Québec retire des bénéfices stratégiques du fait que le gouvernement du Canada est responsable de la dette commune, son entrée dans le monde financer serait pénible s'il n'effectuait pas les paiements que nécessite le règlement de sa part:

> L'acceptation contractuelle par le Québec de ses «obligations conséquentes à la séparation» doit nécessairement précéder toute coopération du gouvernement du Canada et des autres provinces sur les autres sujets qui intéressent le gouvernement du Québec, comme le libre accès à l'union économique canadienne, l'appui du Canada pour l'adhésion à l'ALENA et aux autres ententes commerciales internationales, et l'usage du dollar canadien. (Robin Richardson, *HCH*, 26 septembre 1994.)
>
> Il semble inévitable que le Canada demeure obligé envers ses créanciers pour toute la dette après la sécession du Québec. [...] Au cours de cette période de transition, le Québec accepterait de faire des versements au Canada pour rembourser la «portion du Québec» de la dette canadienne. [...] Le problème principal pour le Canada, c'est qu'il va accepter le risque que le Québec manque à ses obligations durant la période de transition. (Patrick Monahan, *GM*, 12 janvier 1995.)

Le Québec voudra payer, mais le pourra-t-il? Certains courtiers en valeurs mobilières n'hésitent pas à être alarmistes, quitte à être la cause d'une «prophétie créatrice», c'est-à-dire de provoquer une crise de confiance à force de l'annoncer. Brian Neysmith, président d'une firme de cotation à Montréal, ainsi que d'autres conseillers financiers mettent en doute la capacité du Québec à payer sa part:

> Le Québec ne pourrait rembourser sa part de la dette fédérale à cause du déclin de son économie et de sa population. [...] La province a perdu son statut de moteur de l'économie. Prises ensemble, l'Alberta et la Colombie-Britannique sont la deuxième locomotive économique du pays, après l'Ontario. [...] Avec les deux autres provinces prospères du Canada, l'Alberta devra probablement aider à payer la portion québécoise de la dette fédérale. (Brian Neysmith, cité dans *CH*, 9 novembre 1994.)
>
> S'ils décident de se séparer, ils vont très rapidement cesser d'honorer leurs dettes parce qu'ils ne pourront jamais faire face à ces versements qui sont d'une ampleur époustouflante. (Walter Schroeder, cité dans *GAZ*, 11 mai 1995.)
>
> Si le Québec refuse de payer sa part de la dette fédérale, c'est qu'il aura du mal à remplir ses obligations. (Ihor Kots, cité dans *GAZ*, 11 mai 1995.)
>
> Plusieurs économistes estiment que le Québec ne peut financer une dette plus élevée que 12 ou 13 milliards de dollars, étant donné la taille de son économie. Avec un si grand déficit et un tel niveau d'endettement, le Québec devra réduire ses dépenses et hausser les impôts, ce qui entraînera l'économie dans une récession. [...] À chaque jour, les scénarios d'une indépendance sans heurts, peints en rose par le PQ, sont contredits et démolis. On rappelle aux Québécois où peut les mener la folie séparatiste. (Éditorial du *TS*, 22 mars 1995*a*.)

Comme si le Canada n'avait pas une dette proportionnellement supérieure à la taille de son économie et que le Québec ne payait pas déjà par ses impôts sa part de ce fardeau... Comment le Canada actuel, qui est presque aussi endetté que le Québec, assume-t-il ses obligations? Avec quoi le Canada paie-t-il la part québécoise de la dette, sinon avec les impôts des Québécois? Comment peut-on concilier le fait qu'aujourd'hui le Québec arrive à payer sa part de la dette fédérale et qu'en tant que pays souverain, il ne pourrait faire face à ses obligations? Par un curieux tour de passe-passe, le Québec serait subitement plus endetté au lendemain de la souveraineté:

> Québec deviendrait responsable à la fois de sa dette provinciale actuelle, mais aussi de sa part de la dette fédérale. Ainsi, le coût du capital pour la somme des parties de ce qui était autrefois le Canada serait beaucoup plus grand qu'il ne l'était avant la rupture. (John Chant, 1992: 84.)

L'explication réside dans le fait que ceux qui ont prétendu que le Québec ne payerait pas avaient lancé des chiffres déraisonnables. En effet, la méthode de calcul de la part revenant au Québec peut varier considérablement:

> En cas de rupture du pays, la façon de partager la dette serait évidemment un sujet de négociations, mais on ne débattra pas si la dette sera partagée ou pas. Toute une série d'études ont examiné différentes manières de fractionner la dette. D'après une étude de l'Institut C. D. Howe, la part du Québec de la dette fédérale pourrait osciller entre un sixième et un tiers selon la formule utilisée. (Éditorial du *FP*, 8 février 1995.)

Le Québec ne serait davantage endetté que si on s'entendait pour lui donner la responsabilité d'une proportion de la dette qui excéderait celle qu'il paye actuellement et qui est considérée comme équitable:

> Un partage des paiements sur la dette fédérale basé sur la population plutôt que sur le revenu, comme c'est le cas actuellement, augmenterait la dette publique du Québec de 0,7 % du produit national brut, soit un milliard de dollars. Le partage de la dette publique sera un élément déterminant de l'effet de la séparation du Québec sur le reste du Canada. Pour que cet effet soit relativement mineur, le Canada devra s'assurer que le Québec endosse entièrement sa part. (Patrick Grady, 1991*a*: 155, 158.)

Le montant de la part du Québec devra donc être proportionnel à la capacité de payer du Québec. Les créanciers y verront sans doute:

> En cas de séparation du Québec, les États-Unis auraient tout intérêt à s'assurer que la dette canadienne soit divi-

sée de manière à être remboursable. (Ronald Wonnacott, 1991: 39.)

Par conséquent:

Le Canada serait probablement d'accord pour négocier un échéancier raisonnable pour qu'un Québec indépendant nous rembourse ce qu'il doit. Entre-temps, le Québec devra fournir au Canada un billet formel qui aurait préséance sur toutes ses autres dettes. (Éditorial du *TS*, 25 mai 1994.)

Déjà, on entrevoit des façons de s'entendre sur le bilan financier du Canada:

Il n'est pas difficile de trouver des méthodes claires et équitables de traiter les actifs et les obligations. (Irene Ip et William Robson, 1992: 83.)

Mais la solution finale au partage de la dette sera politique:

Il n'est pas possible de concevoir une mesure de tous les coûts et bénéfices économiques s'appliquant à une province durant son adhésion à la fédération. Chaque approche portera flanc à la critique sur certains points. (Paul Boothe, Barbara Johnson et Karrin Powys-Lybbe, 1991: 34.)

La nature du partenariat Québec-Canada

Si l'on parle aujourd'hui de souveraineté-partenariat, c'est que la notion de «souveraineté-association» ne peut plus servir à désigner le projet d'association entre le Québec et le Canada:

Pour être acceptable, la séparation du Québec devra vouloir dire souveraineté, point. Et non pas la souveraineté-association avec laquelle le Parti Québécois espère naïvement rouler les Canadiens hors Québec, qui sont trois fois plus nombreux, afin qu'ils sacrifient la direction de leurs affaires économiques de manière à assurer au

> Québec la jouissance de la plupart des bénéfices de la fédération après l'avoir quittée. (Tom Kent, 1991: 4.)

Le concept de souveraineté-association est discrédité au Canada anglais. On en est venu à croire que le Québec voulait le beurre et l'argent du beurre, la liberté et l'argent de poche. La confusion viendrait de certaines propositions pour renouveler le fédéralisme qui ont été lancées depuis 1990 et qui ont entaché la réputation des positions politiques du Québec. Par exemple, le rapport Allaire du Parti libéral du Québec fut très mal reçu par le Canada anglais, car il laissait très peu de pouvoirs au gouvernement fédéral, alors qu'en même temps ce dernier conservait la responsabilité financière des programmes de développement régional par lesquels de l'argent du reste du pays était transféré au Québec:

> Le comité [Allaire] a proposé un transfert fiscal sans condition pour le développement régional: les gouvernements provinciaux (celui du Québec du moins) disposent de ces sommes entièrement à leur guise. (Peter Leslie, 1993: 68.)

Le nouveau partenariat entre le Québec et le Canada ne reflétera que ce que les deux parties ont intérêt à avoir en commun. On ne peut évidemment pas prédire le résultat des négociations:

> Les prédictions concernant la nature des relations à long terme entre le Canada et le Québec dépendent essentiellement de l'appréciation que l'on fait des intérêts de l'autre partie. [...] À tout prendre, il suffirait de définir l'indépendance du Québec comme un grand pas dans le noir. (Douglas Brown, cité dans *FP*, 10 septembre 1994.)

> Le désir de résister à l'absorption complète par les États-Unis — la cause historique du nationalisme canadien-anglais — contribuerait aux pressions en faveur de la perpétuation de l'axe est-ouest, y compris une association avec le Québec. (Philip Resnick, 1992: 85.)

Il y aura donc une nouvelle association Québec-Canada. Mais de quelle nature? Les différentes possibilités vont, en ordre de probabilité décroissant, du libre-échange à la reconstruction du Canada suivant un mode confédéral.

LIBRE-ÉCHANGE?

De nos jours, la quasi-totalité des pays du monde occidental ont une économie ouverte au commerce international grâce à l'Accord général sur les tarifs et le commerce (GATT).

> Si les négociations devaient échouer, les règlements du GATT représenteraient un bon point de départ, ainsi qu'une position de repli. (George Fallis, 1992: 50.)

Cependant, les négociations commerciales entre le Québec et le Canada ne partiraient pas de zéro, selon deux professeurs de droit de l'Université de Toronto. Les deux pays pourraient se référer aux textes servant aux négociations de libéralisation du commerce interprovincial:

> Cette entente représente, du moins dans ses éléments de base, une porte de sortie pour le Québec et le reste du Canada. En ce sens, sa portée politique est énorme. (Michael Trebilcock et Rob Behboodi, cités dans *TS*, 10 juin 1994.)

Il y a une variété d'opinions sur le degré d'intégration économique possible ou souhaitable, et sur ses conséquences sur le commerce entre le Québec et le Canada. Mais personne ne remet en question le fait que le libre-échange entre les deux pays soit inévitable:

> Sur une question comme le régime de libre-échange, l'Ouest pourrait être moins intéressé que l'Ontario, car l'enjeu le concerne moins. (Laurent Dobuzinskis, cité dans *FP*, 10 septembre 1994.)

> Une union économique favorise davantage le commerce qu'un accord de libre-échange. (John McCallum, 1992*b*: 58-59.)

> Dans un accord de libre-échange avec le Canada, le Québec pourrait se voir demander d'abandonner ses subventions et ses quotas agricoles, les subsides pratiqués par Hydro-Québec et l'appui des contribuables au développement industriel par la Caisse de dépôt et d'autres moyens. (Stanley Hartt, 1992: 23.)

> Il se pourrait qu'on ne remarque pas le moindre changement en termes de transport sur le fleuve, dans un sens ou dans l'autre. Je pense qu'il s'agit d'un corridor de transport qui peut fonctionner à l'avantage de tout le monde. Je pense qu'on ne remarquera aucune différence. (Glen Stewart, cité dans *PRE*, 12 janvier 1995.)

> Je présume qu'avant longtemps le Québec et les autres États successeurs du Canada (un ou plusieurs) établiront des liens économiques aussi stables et fiables que ceux qui existent maintenant entre le Canada et les États-Unis avec l'ALENA. (Peter Leslie, 1994: 43.)

Union douanière?

Certains entrevoient les avantages de la continuité que procurerait au Canada comme au Québec une union douanière:

> Pour être plus optimiste, il serait possible de faire un pas de plus que l'Accord de libre-échange et de négocier une union douanière Québec-reste du Canada. Ce serait une étape importante, qui recèlerait des avantages économiques significatifs, puisqu'une union douanière réduirait substantiellement le besoin de postes frontières. (John McCallum, 1992*b*: 77.)

> Une union douanière Canada-Québec signifie que le Québec accéderait automatiquement au GATT et à l'ALENA. Le Canada et le Québec ne constitueraient qu'un seul acteur sur le plan du commerce international. (Alan Freeman et Patrick Grady, 1995: 144.)

Marché commun?

D'autres encore souhaitent que l'on s'approche le plus possible des conditions qui gouvernent actuellement le commerce entre le Québec et le reste du Canada:

> [Parmi] les options pour reconstruire le libre-échange nord-américain, le Québec et le reste du Canada pourraient former un marché commun qui jouerait le rôle du Canada actuel dans l'accord de libre-échange canado-américain. [...] Le Québec et le Canada pourraient [aussi] négocier une union douanière plutôt qu'un marché commun. (Ronald Wonnacott, 1991: 43, 44.)

> Les bénéfices qui accompagnent la libéralisation des échanges économiques sont étayés par des théories économiques solides. En général, un commerce plus libre entraîne une plus grande productivité grâce à la restructuration de la production pour approvisionner un plus grand marché. [...] Le meilleur résultat auquel on puisse aspirer afin de s'approcher le plus possible du *statu quo ante* est la préservation du marché commun canadien avec un minimum de désorganisation. (Gordon Ritchie, 1991: 1, 17.)

> Les relations économiques entre le Québec et le Canada pourraient être encadrées par un traité fondamental établissant un marché commun canadien qui prévoit la liberté de circulation du capital, des biens et des personnes de part et d'autre des frontières, plutôt que par une réglementation bureaucratique. [...] À long terme, la séparation aura beaucoup moins de conséquences qu'on ne le croyait il y a une décennie. (Reg Whitaker, 1991: 28, 29.)

Union monétaire?

La question de l'«utilisation du dollar canadien par le Québec» — comme si cet argent ne lui appartenait pas — a suscité beaucoup de controverses. Ces dernières ont parfois été alimentées par de la mauvaise foi. Le gouverneur de la Banque du Canada dit n'exclure aucun scénario, mais il néglige sciemment l'exemple de l'Europe, où l'on s'achemine lentement vers la fusion d'une douzaine de monnaies:

> La Banque examine soigneusement toutes les options qui existent, tout ce qui pourrait se produire, pour que nous soyons bien préparés. [...] [Mais] il n'y a aucun exemple de deux pays importants partageant la même devise. (Gordon Thiessen, cité dans *TS*, 22 mars 1995*b*.)

Le Québec pourrait-il conserver le dollar canadien si le Canada s'y opposait? Cela ne fait aucun doute, même si cela entraîne des limites à l'exercice de sa souveraineté:

> Malheureusement, le Canada ne peut rien faire pour empêcher un Québec indépendant d'utiliser le dollar canadien. (Robert Fyfe, *OS*, 9 décembre 1994.)

> Le reste du Canada ne peut empêcher le Québec d'utiliser le dollar canadien. Mais c'est autre chose d'en négocier le contrôle politique. Et puisque la politique monétaire et le contrôle d'une monnaie sont les attributs essentiels de la souveraineté, ce n'est pas quelque chose qu'on cède facilement à un autre. (William Robson, cité dans *GM*, 7 mai 1994.)

Il se pose une autre question importante: Le Québec pourra-t-il conserver le dollar canadien en cas de crise de confiance des marchés monétaires? Le journaliste Jeffrey Simpson (*GM*, 15 décembre 1994) affirme que les déclarations concernant la volonté du gouvernement Parizeau de conserver une monnaie commune font seulement partie d'une stratégie dans le but de rassurer les investisseurs qui craignent le risque lorsqu'il n'est pas accompagné de perspectives de gain. C'est aussi l'avis d'un économiste de l'Institut C. D. Howe:

> La sécession du Québec entraînerait des perturbations économiques et politiques qui mettraient à l'épreuve l'union monétaire entre les deux pays. [...] Si cette situation déclenchait la crainte d'une monnaie québécoise séparée, cela donnerait lieu à une fuite des capitaux. Le gouvernement du Québec serait alors forcé de choisir entre la limitation de son crédit et la récession, d'une

> part, ou l'établissement d'une nouvelle monnaie et sa dévaluation, d'autre part. (William Robson, 1995: 1.)

Or, étant donné que le Canada serait également touché par ces mêmes facteurs, on s'explique mal pourquoi seul le Québec serait poussé à dévaluer sa monnaie. Si de telles pressions sur la monnaie commune devenaient insoutenables, la Banque centrale pourrait très bien dévaluer le dollar, au bénéfice du Canada et du Québec. Le monde des finances étant sensible aux rumeurs, de tels propos risquent de déclencher le mal contre lequel ils nous mettent en garde. Mais tout comme les scénarios qui examinent la possibilité d'une intervention armée, ils sont grandement exagérés:

> Plusieurs scénarios d'apocalypse ont été suggérés: le RC [reste du Canada] pourrait refuser au Québec l'utilisation du dollar canadien, une monnaie séparée serait établie, ou des dévaluations concurrentielles pourraient survenir. Ces hypothèses méritent certainement d'être examinées, toutefois il est de l'avis général qu'elles sont improbables. (George Fallis, 1992: 51-52.)

Ainsi, il serait dans l'intérêt du Canada comme du Québec que ce dernier continue à utiliser le dollar canadien:

> Le maintien de l'union monétaire canadienne avec une banque centrale à direction conjointe et un système financier commun serait le meilleur choix économique, tant pour le Québec que pour le «reste du Canada». (Jeffrey Simpson, *GM*, 15 décembre 1994.)

> Il serait stupide à l'extrême de la part du reste du Canada de rejeter le Québec, un partenaire commercial important, débiteur conjoint d'une grande partie des actifs financiers détenus ou dus par le Canada anglais, et un important payeur éventuel de droits de seigneuriage à la Banque centrale du Canada. (John Grant, 1991: 58.)

UNION ÉCONOMIQUE?

Pour reproduire les conditions qui gouvernent les échanges à l'intérieur de l'espace économique canadien actuel, il faudrait remplir plusieurs conditions:

> Le maintien du niveau actuel des relations commerciales ne pourra se faire qu'à certaines conditions, dont une monnaie et un système de compensation communs; une union douanière; une politique de concurrence commune ainsi qu'un accord sur les subventions; des politiques harmonisées sur les transports, les communications et les normes et politiques bancaires; ainsi qu'une cour de justice indépendante, mais bilatérale, qui pourrait statuer sur les questions relevant de l'union économique. (Daniel Schwanen, 1995: 2.)

C'est ce qui rend ce scénario improbable.

DOUBLE CITOYENNETÉ?

Le Canada et le Québec ont des raisons de ne pas souhaiter que les citoyens du Québec conservent le passeport canadien. Mais certains des arguments avancés sont carrément spécieux. Par exemple, quelques-uns trouvent étrange que le Québec continue à bénéficier de la renommée du Canada, comme s'il n'y avait jamais contribué:

> La possession d'un passeport canadien comporte d'autres avantages pour les Québécois. Ils continuent à bénéficier d'un accès libre, sans visa, à toute une série de pays, le fruit de la bonne réputation du Canada à l'échelle du globe. Munis de ce passeport digne de confiance, les exportateurs québécois pourront continuer à se déguiser en Canadiens, comme le font consultants et autres professionnels qui se cherchent du travail dans les agences internationales. (Alan Freeman et Patrick Grady, *GM*, 28 février 1995.)

Bien sûr, si le Québec avait bénéficié comme le Canada d'une personnalité internationale, l'appellation Québécois serait comparable à celle de Canadien et jouirait sans doute d'une aussi bonne réputation. Mais ce qui agace le plus dans ces propos, c'est l'insinuation que les Québécois abusent déjà de leur statut de Canadiens.

Par ailleurs, l'argument le plus sérieux pour refuser aux Québécois la citoyenneté canadienne porte sur les droits sociaux qui y sont rattachés. Le Canada serait désavantagé si les Québécois la conservaient:

> Il y aurait près de sept millions de citoyens d'un nouveau Québec, bénéficiaires potentiels de versements du gouvernement canadien grâce à leur double citoyenneté, tandis que le Canada serait privé des revenus fiscaux de ses citoyens vivant au Québec. (Éditorial du *FP*, 9 mars 1995.)

En conséquence:

> Pour éviter au Canada et aux provinces d'être obligés de fournir aux citoyens vivant au Québec des prestations dans le cadre de ses principaux programmes sociaux [...] le Canada devrait retirer la nationalité à ceux de ses citoyens qui déclarent leur allégeance au Québec en y établissant leur lieu de résidence habituel. [...] La décision du Canada [...] serait entièrement conforme au droit international. (Stanley Hartt, 1995: 1, 2, 3.)

> La perte éventuelle de la citoyenneté canadienne par les gens qui résident au Québec le jour de la déclaration de souveraineté est une certitude. (Stanley Hartt, *OC*, 9 mars 1995.)

La citoyenneté étant un attribut de la nationalité, voici un argument qui a la même valeur pour les Québécois que pour les Canadiens:

> [Un comité de la Chambre des communes] a été frappé par les arguments de la majorité des témoins qui ont exprimé des réserves quant à l'octroi d'une double citoyenneté. [Ses membres] se demandaient comment il était possible de prêter allégeance et loyauté à plus d'un pays, et estimaient que cette pratique diminue la valeur de notre citoyenneté. (Éditorial du *TC*, 12 mars 1995.)

Association politique?

L'idée d'un partenariat politique a été adoptée par le Parti Québécois sur proposition du Bloc Québécois et de l'Action démocratique du Québec, si bien qu'elle a été peu commentée dans la période que nous avons étudiée, sinon en termes généraux:

> Torturé par ses propres clivages régionaux, le Canada anglais pourrait bien adopter une attitude très rigide dans la période suivant immédiatement la rupture, afin de maintenir son unité. Cela ferait en sorte d'exclure dès le départ toute association qui irait au-delà de relations commerciales ordinaires avec le Québec. (Philip Resnick, 1992: 84.)
>
> M. Bouchard pense toujours, avec peut-être un peu de naïveté, qu'une forme de parlement commun dans lequel le Québec et le Canada éliraient des députés émergerait des cendres de la Confédération. Ce n'est toutefois pas le cas de M. Parizeau. (Rhéal Séguin, *GM*, 7 mai 1994.)

On doute fort que le Canada anglais accepterait de constituer une confédération ou une fédération binationale avec le Québec:

> Nous formons soit une seule nation, soit deux. Un point c'est tout. (Peter C. Newman, 1995: 61.)
>
> Il serait inacceptable que l'on confonde les enjeux. Un Québec souverain coupe ses liens avec le Canada et revendique la représentation exclusive des intérêts des quelque six millions et demi d'habitants de son territoire, tant sur le plan intérieur que sur le plan international. (Philip Resnick, 1991: 57.)
>
> Une fois le Québec engagé dans le processus d'accession au statut de nation, la seule façon pour lui de redevenir une province serait de renoncer à sa souveraineté ou être annexé par le Canada. (Neil Finkelstein et George Vegh, 1992: 68.)

La redéfinition des rapports Québec-Canada

Faisant référence à la crise politique qui a mené à la Confédération au XIXe siècle, un professeur de science politique de Toronto affirme que ce que les Québécois recherchent, c'est une nouvelle relation avec le Canada. Toutefois, il craint qu'il soit trop tard pour la définir de l'intérieur:

> La crise à laquelle fait face le Canada n'est pas tellement différente de l'impasse des années 1860 qui fut finalement résolue par la Confédération. On oublie trop souvent que l'entente que fut la Confédération impliquait à la fois une séparation et une union. La province du Canada fut divisée en deux, le Québec étant détaché de l'Ontario, ce qui amena la création d'une nouvelle province dans laquelle les francophones formèrent plus de 80 % de la population. En même temps, on établit un gouvernement fédéral pour s'occuper des affaires générales de la nouvelle union. (James Laxer, cité dans *TS*, 18 septembre 1994.)

> Il est possible qu'un nouveau «choc» d'une nature inconnue vienne secouer le reste du Canada et l'obliger à négocier une forme très différente d'arrangement avec le Québec au sein du système fédéral. (Jeffrey Simpson, 1993: 367.)

L'idée que le référendum concerne autant la redéfinition des relations Canada-Québec que la souveraineté du Québec est partagée par ce chroniqueur de la page des affaires et par un architecte canadien réputé:

> Plus d'un siècle après la Confédération, les compromis doivent être redéfinis. En définitive, le référendum du PQ propose de déterminer si le Québec croit avoir une meilleure chance de renégocier la Confédération de l'intérieur ou de l'extérieur. (Adam Mayers, *TS*, 11 septembre 1994*a*.)

> Je réfléchis quelquefois à la situation et je pense que, objectivement, on devrait les laisser se séparer. C'est peut-être la seule chose que l'on puisse faire, la seule façon de

> réussir. Peut-être qu'une sorte de réunification viendra après la séparation. (Raymond Moriyama, 1991: 90.)

La souveraineté du Québec assortie d'une association économique avec le reste du Canada serait une sorte de fédéralisme asymétrique:

> Jusqu'où pouvons-nous considérer l'asymétrie? Supposons que le Québec opte pour l'indépendance (ou appelez cela souveraineté) et demande la gestion complète de tous les aspects de la formulation des politiques, avec comme seule limite une entente négociée qui préserverait ou rétablirait l'union économique. Si le reste du Canada demeurait un État fédéral, le Québec en serait une sorte de membre associé. Le Québec participerait aux décisions économiques, mais aurait son propre système de sécurité sociale. En d'autres termes, on mettrait en place une asymétrie radicale. (Peter Leslie, 1993: 70-71.)
>
> Nous pourrions éventuellement nous retrouver avec un genre d'association d'États fédérés, curieusement, le genre de pays dans lequel le Québec aurait sans doute voulu rester avant l'élection du PQ en 1994. (Richard Allen, cité dans Gerald Haslam, 1995: 22.)

En résumé, le OUI au référendum inaugurerait une toute nouvelle dynamique dans les rapports Québec-Canada. Contrairement aux conditions actuelles de négociations constitutionnelles, celles de l'après-référendum ne permettraient plus aux Canadiens anglais de compter sur le *statu quo* comme position de repli. Et comme ils n'ont pas plus que les Québécois l'intention de s'isoler de leurs voisins, il est tout à fait plausible qu'ils acceptent de négocier un nouvel accord avec un Québec souverain. Cet accord n'embrasserait pas tous les points énumérés dans l'avant-projet de loi sur la souveraineté du Québec, dont l'objectif est plutôt de rassurer la population du Québec tout en faisant un signe d'ouverture au reste du Canada. Parce qu'il serait le résultat d'une négociation, le nouveau partenariat ne refléterait pas seulement la vision de l'un des deux partenaires, mais leurs intérêts mutuels.

❑

Pour en savoir plus long

BEAUDOIN, Louise, «Étude de l'Institut Fraser: de la démagogie de bas étage», *La Presse*, 24 mai 1995, p. B3.

CANTIN, Philippe, «Un Québec souverain devrait 163 milliards — L'étude québécoise établit à 17,4 % la part de la dette fédérale à assumer», *La Presse*, 2 juin 1995, p. B1.

DANSEREAU, Suzanne, «Trop endettés pour dire OUI?», *Le Devoir*, 29 et 30 juillet 1995, p. B1.

LEROY, Vély, «Les options monétaires», dans Alain-G. Gagnon et François Rocher (dir.), *Répliques aux détracteurs de la souveraineté du Québec*, Montréal, VLB éditeur, 1992, p. 460-467.

ROCHER, François, «L'environnement commercial d'un Québec souverain», *Choix, série Québec-Canada*, Institut de recherche en politiques publiques, vol. I, nº 6, 1995, p. 21-47.

TREMBLAY, Rodrigue, «Le Québec face à l'intégration économique canadienne et nord-américaine», dans Alain-G. Gagnon et François Rocher (dir.), *Répliques aux détracteurs…*, p. 373-391.

TURP, Daniel, «Citoyenneté québécoise, citoyenneté canadienne et citoyenneté commune selon le modèle de l'Union européenne», dans William Kaplan (dir.), *Belonging. The Meaning and Future of Canada Citizenship*, Montréal et Kingston, McGill et Queen's University Press, 1993, p. 164-177.

CHAPITRE VII

Le Canada sans le Québec

Le Québec sans le Canada

Comme province, le Québec s'est déjà doté de l'infrastructure d'un pays complet. Par exemple, son système de représentation des intérêts (ou de groupes de pression) est déjà indépendant de celui du Canada:

> Le Québec possède un cadre d'intermédiation des intérêts qui se rapproche de ceux d'États indépendants. Si, demain, le Québec devenait un pays indépendant, ses groupes d'intérêt n'auraient pas de difficulté à s'adapter en tant qu'organisations. On pourrait peut-être voir dans ce phénomène organisationnel un signe de plus de la sécession éventuelle du Québec du Canada. (William Coleman, 1994: 13.)

Le Québec n'a pas de mal à se définir sans le Canada:

> Il y a très longtemps, j'en suis venu à la conclusion que toute cette inquiétude face à la possible séparation du Québec passait à côté de la question. C'est parce qu'à mon avis les Québécois se sont séparés du reste du pays il y a de nombreuses années. Ils sont autosuffisants du point de vue émotif et psychologique. Peu d'entre eux en savent beaucoup sur le reste du Canada, et il y en a

> encore moins qui s'en préoccupent. (Richard Gwyn, *TS*, 2 décembre 1994.)

Cela donne au Québec une longueur d'avance sur le «reste du Canada» dans le processus de construction nationale:

> Dans les premières années, le Québec débutera avec trois avantages politiques importants. Premièrement, l'établissement d'un État souverain constitue l'affirmation nationale du peuple québécois. [...] Deuxièmement, les Québécois ont passé un temps considérable à réfléchir à l'indépendance depuis une génération. [...] Troisièmement, le Québec démarrera avec un ensemble cohérent d'institutions politiques. (Keith Banting, 1992: 173.)

> Le Québec a toujours été une nation. Remontons jusqu'à la capitulation de Montréal. [...] Le Québec n'a jamais fait partie du Canada. Il a toujours été un pays en lui-même. Il a tout ce qu'il lui faut. Il a la géographie, la langue, la culture, une religion commune. Il possède les attributs de la nationalité. Je crois que le Québec est un pays, mais la vraie question demeure: Qu'en est-il de nous? [...] Nous devrions travailler à l'élaboration d'un nationalisme viable pour le reste du Canada. (Ted Byfield, 1991: 119, 120.)

Un Canada sans le Québec?

Comparé au Québec, le Canada anglais est bien moins préparé à une existence indépendante:

> Le Québec réfléchit à toutes ces choses depuis bien des années, mais pas le reste du Canada. Les Québécois ont une bien meilleure idée de ce qu'ils sont et de ce qu'ils veulent que les habitants des autres provinces. [...] Cette incessante quête d'identité est un des problèmes des Canadiens de langue anglaise. (Knowlton Nash, 1991: 300, 301.)

En dehors du Québec, on conçoit généralement l'élément québécois et canadien-français comme faisant partie intégrante du pays:

> J'ai toujours ressenti que la présence du Québec, de la langue française et de la culture française sont au cœur [de l'identité] du Canada. Cela fait partie de ma vision du pays, même si je parle très peu français. (Robert Pritchard, 1991: 284.)

Cette culture politique subira nécessairement des changements. Par exemple, ce sera la fin des politiciens québécois à Ottawa:

> À moins que Jean Chrétien ne cache une carte miraculeuse qu'il soit le seul à connaître, il risque d'être le dernier premier ministre québécois à gouverner le Canada. (Nelson Landry, *AN*, 16 mai 1994.)
>
> Puisque le Canada tel qu'on le connaît est un compromis entre les Français et les Anglais, les institutions qui conviendraient à un Canada sans le Québec pourraient bien être différentes des institutions du Canada actuel. (Dan Usher, 1995: 72-73.)

Certains observateurs sont pessimistes quant à la viabilité politique du Canada, en raison du rôle majeur du Québec sur la scène politique fédérale depuis le milieu des années soixante:

> Si le Québec se séparait, ce qui resterait du Canada ne retrouverait pas comme par magie son archétype antérieur. Ses parties devraient alors être greffées ensemble après qu'une opération majeure aura retranché des organes centraux de son corps politique, et les chances de survie de la nouvelle entité sont, au mieux, incertaines. (Stephen Clarkson, 1995: 251.)

En fait, cet auteur craint les effets de la réduction du Canada, soit l'affaiblissement commercial et diplomatique:

> En résumé, après la sécession du Québec, le Canada pourrait bien avoir assez de profondeur culturelle et de cohérence politique, mais il n'aurait ni la viabilité économique ni la *raison d'être* internationale pour réussir comme État-nation. (Stephen Clarkson, 1995: 270.)

Un Canada différent

Au-delà de ces sombres pronostics, plusieurs considèrent que le départ du Québec serait plutôt l'occasion de réaliser un Canada plus authentique:

> Pour les Canadiens, le départ du Québec serait une magnifique occasion de reconstruire l'organisation politique dans laquelle ils évoluent. [...] Tant que le Québec fera partie du Canada, nous devrons considérer d'abord les problèmes du Québec. (David Bercuson et Barry Cooper, 1991: 159.)

La nouvelle géographie canadienne et le dénouement de la question nationale imposeront rapidement des ajustements:

> Il n'existe aucune loi naturelle qui décrète la perpétuelle nécessité d'une nation transcontinentale dans le nord de l'Amérique du Nord. (Gerald Freisen, 1991: 219.)

> Pendant 125 ans, nous avons essayé de faire une nation de ce pays. Nous n'avons pas tellement bien réussi. [...] Le Canada forme une fédération très décentralisée, avant tout parce qu'il a cherché à accommoder les Québécois. [...] Si le Québec devait se séparer du Canada, l'État canadien pourrait devenir beaucoup plus centralisé, dans le débat politique les oppositions de classes seraient plus importantes, et le bien-être économique des citoyens pourrait s'accroître. (Robert Brym, 1992: 217, 221, 222.)

Qu'arrivera-t-il aux francophones hors Québec?

Quelle serait la situation de la langue française dans le nouveau Canada? Le Québec est-il essentiel à sa survie? Selon Claire Lanteigne, présidente de la Fédération des communautés francophones et acadienne du Canada, cela dépendra des communautés elles-mêmes:

> La souveraineté du Québec, ça nous forcerait à être encore plus dynamiques et exigeants. Que les Québécois décident de leur avenir et on respectera leur choix. (Claire Lanteigne, citée dans *DEV*, 7 avril 1994.)

> Ce qu'on a accompli, on l'a fait en comptant sur nos propres moyens, avec ou sans l'appui du Québec. Je ne vois pas pourquoi, si le Québec se sépare demain, on disparaîtrait ou on laisserait tout aller. (Claire Lanteigne, citée dans *DEV*, 27 mai 1994*a*.)

Sur ce point, il ne manque pas d'optimistes:

> Même si le Québec quittait le Canada [...], le «fait français» continuerait d'être une minorité significative dans les autres provinces. (Mary Jane Miller, 1995: 196.)

Mais les leaders francophones hors Québec ne sont pas tous aussi sereins devant l'éventualité de la souveraineté. Certains sont même quelquefois pathétiques:

> Le Québec fait partie du Canada que j'aime et je voudrais dire aux Québécois qu'ils n'ont pas le droit de se séparer de mon Canada sans m'en parler ou sans que j'aie le droit de donner mon opinion, le droit de voter au référendum. Ils déchirent mon Canada en faisant cela et moi je deviens homme sans pays. (Paul Denis, cité dans *DEV*, 7 avril 1994.)

L'attitude des Canadiens envers les francophones et le traitement que les gouvernements provinciaux imposeront à leurs minorités compteront également pour beaucoup:

> J'ai toujours pensé que le français était une langue canadienne et elle en sera toujours une. Nous avons des Canadiens de langue française qui sont là depuis des générations et ils ne s'en iront pas comme cela. Ils demeureront canadiens. (Jane Finley, citée dans *GAZ*, 30 novembre 1994.)

> L'idée du Canada va continuer à nous garder ensemble même si le Québec optait pour l'indépendance. [...] Je crois que le Canada anglais va demeurer uni. Évidemment, la perte du Québec sera énorme. Mais l'idée de deux peuples, deux communautés, survivra — les Acadiens et la population francophone de l'Ontario, avec les autres minorités canadiennes-françaises, peuvent se réclamer de la tradition de bilinguisme du Canada. (Thomas Berger, 1991: 311, 317-318.)

Cependant, on parle déjà d'un fléchissement de l'appui aux politiques de bilinguisme, qu'on présente encore comme une concession aux Québécois:

> D'importants privilèges furent accordés aux Franco-Ontariens dans le but de satisfaire le Québec dans les années soixante. En cas de «déconfédération», ces privilèges deviendraient vulnérables. Il y a tout lieu de croire que l'Ontario deviendrait une société unilingue anglaise. (Donald Swainson, 1991: 210.)

En fait, c'est toute l'approche canadienne face à la diversité qui risque d'écoper:

> J'ai toujours cru que notre approche du multiculturalisme «officiel» était, en partie du moins, une réponse au bilinguisme officiel. L'appui à ces deux politiques s'amenuisera sans doute dans le reste du Canada. (Tom Courchene, 1995: 390.)

> Le départ du Québec accélérerait la convergence des cultures politiques entre le Canada et les États-Unis. Si la nouvelle culture politique accordait plus d'importance à l'égalité des individus et moins d'appui aux minorités linguistiques de même qu'au multiculturalisme officiel, il est vraisemblable qu'elle offre aussi moins de soutien aux peuples autochtones. (Roger Gibbins, 1993: 271-272.)

Le statut du Québec est, depuis trente ans, le grand obstacle dans les relations entre les francophones d'Amérique du Nord. La souveraineté lèverait cet obstacle et permettrait peut-être une meilleure collaboration:

> L'Acadie existait avant le Québec, et elle existera encore après la séparation du Québec, si jamais elle s'accomplit un jour. Nous nous devons de définir notre propre agenda politique, culturel ou autre. Nous devons aussi jeter les bases des liens qui marqueront la future coexistence des Acadiens et des Québécois si ces derniers deviennent souverains. (Jean-Marie Nadeau, *AN*, 12 mai 1994.)

> Le Québec est nettement le fragment le plus important numériquement et territorialement de la francophonie, fragment à qui l'on a d'ailleurs reconnu, notamment

pour des raisons historiques, le droit à l'autodétermination ainsi que le statut symbolique de métropole. (Linda Cardinal, 1995: 186.)

Il n'est pas impossible de croire que le Québec et les francophones hors Québec pourront devenir des partenaires dans un Canada sans le Québec. (Linda Cardinal et J.-Yvon Thériault, 1992: 331.)

Les répercussions dans les régions

Dans les provinces maritimes, on s'inquiète de la discontinuité géographique du Canada qu'entraînerait la souveraineté du Québec. Elle aurait pour effet d'accentuer leur éloignement du centre du pays.

La séparation du Québec n'est pas qu'une petite élection innocente. C'est la dissolution de notre pays, tel qu'on le connaît. C'est un traumatisme. C'est une réduction dramatique de notre niveau de vie. C'est notre transformation en un nouveau Bangladesh alors que devons traverser une frontière internationale pour nous rendre dans notre Pakistan Ouest. (Éditorial du *ET*, 11 août 1994.)

La région du Canada la moins bien équipée pour faire face à la rupture de la Confédération est l'Atlantique. Non seulement serait-elle géographiquement isolée du reste du pays, mais si la volonté de survie nationale se dissipait ou si l'autorité fédérale s'affaiblissait soudainement après le départ du Québec, cette région se retrouverait en difficulté. (Robert Finbow, 1995: 61.)

Dans l'Ouest, on s'inquiète du poids considérable de l'Ontario dans le «nouveau Canada»:

Personne, parmi les autorités en place, ne semble avoir posé la question cruciale dont les Canadiens devraient débattre: [...] qu'arrivera-t-il si le Québec s'en va? [...] Il n'y a aucun plan B, pas même à l'étape des discussions. Le problème, c'est que *ça va arriver*. [...] En quittant le Canada, le Québec occasionne des problèmes politiques immédiats à la Colombie-Britannique [...] Au départ du

> Québec, l'Ontario occupera presque 50 % des sièges à la Chambre des communes. (Rafe Mair, *GM*, 5 mai 1994.)
>
> Toutes les provinces, l'Alberta et la Colombie-Britannique en particulier, voudront des contrepoids — comme un Sénat triple-E ou le fractionnement de l'Ontario en trois provinces, par exemple — pour empêcher l'Ontario de dominer le reste du Canada avec une population représentant plus de 50 %. (Tom Courchene, 1991*a*: 74.)

Cette résistance à la formation d'un Canada anglais dominé par l'Ontario est également à la source du refus de reconnaître la dualité Québec/Canada anglais dans le cadre de la Confédération canadienne actuelle:

> Si le Québec restait, un nouveau cadre constitutionnel pour le Canada, qui mettrait de l'avant «les deux nations» plutôt qu'une vision de la Confédération fondée sur «l'égalité des dix provinces», serait plus menaçant pour la Colombie-Britannique que pour l'Ontario. Le Québec, la province qui serait évidemment à la tête du Canada français, serait le promoteur de ce concept. On s'attendrait alors à ce que l'Ontario soit le leader du Canada anglais. (Barbara Yaffe, *VS*, 23 janvier 1995.)

Cette crainte d'une domination ontarienne en pousse certains à croire que le reste du Canada pourrait éclater:

> Il n'est pas du tout évident qu'il y aura union des neuf provinces qui restent en cas de souveraineté du Québec. Comment le reste du Canada composera-t-il avec le fait que l'Ontario représentera plus de 50 % de la population et de la production? (Lloyd Atkinson, 1991: 55.)

De son côté, la plus grande province du Canada ne démontre aucune volonté de changer quoi que ce soit:

> En ce qui concerne l'Ontario, j'ai tendance à croire que ce que nous observons maintenant va se perpétuer: une province attachée au fédéralisme tel que le définit la Charte, dans lequel le bilinguisme et le multiculturalisme continueront à jouer leur rôle. (H. V. Nelles, 1995: 42.)

> La réaction première du reste du Canada au départ du Québec sera une tentative de reconstituer la fédération sous une forme semblable au *statu quo ante*. (Maureen Covell, 1992: 22.)

Un Canada en miettes?

L'éclatement de la fédération est peu probable. À part le Québec, les provinces canadiennes ressemblent davantage à des subdivisions territoriales qu'à des petites nations. Il n'en demeure pas moins que le choc du départ du Québec sera grand. C'est pour cela que certains évoquent le scénario soviétique.

> Le Canada traverserait une période de désorientation psychologique. La conception héritée de l'histoire d'une nation qui s'étend sans interruption d'un océan à l'autre, qui incorpore des langues et des cultures différentes dans une société tolérante et paisible, sera anéantie. (Keith Banting, cité dans *TS*, 11 juin 1994.)

> Il est impossible de prédire les conséquences de la séparation du Québec du reste du Canada. Il se peut qu'en considérant un Canada sans le Québec, des régions ou des provinces décident qu'elles feraient mieux de se débrouiller seules. (Paul Boothe, Barbara Johnson et Karrin Powys-Lybbe, 1991: 29.)

Un mouvement annexionniste pourrait même voir le jour selon ce richissime magnat de la presse:

> Si, par un quelconque concours de circonstances, les séparatistes devaient l'emporter, leur victoire ouvrirait quand même des perspectives intéressantes pour le reste du continent. [...] Le regroupement dans un seul pays du capitalisme libéral-démocrate anglo-saxon nord-américain aurait de l'attrait pour les deux pays. [...] Malgré tous les efforts du courant nationaliste «de la sollicitude et de la compassion», notre biculturalisme était la seule raison solide pour le maintien d'un Canada séparé des États-Unis. (Conrad Black, *GM*, 21 février 1995.)

Mais des forces centripètes continueront de s'exercer:

> Je rejette l'idée que, si le Québec faisait sécession, les provinces de l'Est tomberaient comme un fruit mûr aux mains des États-Unis. Les Canadiens des Maritimes partagent le sort du Canada depuis plus d'un siècle. [...] Un gouvernement central fort, doté d'une volonté à toute épreuve de maintenir des institutions pancanadiennes, est absolument nécessaire. Sans cela, le Canada serait écartelé par l'attraction continentale nord-sud et par les forces centrifuges régionales. (Ian Ross Robertson, 1991: 162, 165.)
>
> On entend souvent dire par les champions de l'industrie de l'unité nationale d'Ottawa que si le Québec s'en va, le «reste du Canada» va se rompre et que ses parties seront éventuellement absorbées par les États-Unis. [...] Les scénarios de désintégration ne sont pas particulièrement crédibles. Ils sont biaisés en raison de leur origine idéologique: ce sont des arguments anti-souverainistes (Reg Whitaker, 1992: 81.)

L'argument de la balkanisation du Canada semble donc avoir été élaboré dans le but d'influencer les Québécois, pour les convaincre que le Canada est formé de dix provinces indivisibles, dont le Québec est la pierre angulaire. Après la séparation du Québec, il ne resterait du Canada que des morceaux. Et le Québec ne serait que l'un d'entre eux. À preuve, ce commentaire d'un ex-conseiller constitutionnel du gouvernement canadien:

> Si le Québec partait, la structure fédérale actuelle ne serait peut-être pas adéquate pour ceux qui resteraient. Ce serait sans doute inquiétant pour les Québécois s'ils se rendaient compte que le reste du Canada pourrait se désintégrer et qu'ils devraient ainsi négocier avec trois ou quatre entités. Ils trouveraient que les choses sont beaucoup plus difficiles qu'ils ne l'avaient anticipé. (Ronald Watts, cité dans *EJ*, 28 mai 1994.)

Pourtant, les signes de continuité sont nombreux:

> Bien qu'une toute petite minorité de Canadiens à l'extérieur du Québec expriment des doutes quant à la survie de leur pays, leur volonté de demeurer canadiens est écrasante. [...] Cet attachement profond laisse entendre qu'après le départ du Québec la continuité du Canada est l'hypothèse la plus probable, du moins à court terme. (Keith Banting, 1992: 173.)

Un Canada plus fort?

Le départ du Québec de la fédération canadienne pourrait non seulement aider le Canada anglais à devenir un peuple, mais il pourrait même avoir pour conséquence de le renforcer.

> Si un référendum québécois sur une question claire résultait en une déclaration unilatérale d'indépendance, la proposition d'une constitution pour le Canada anglais deviendrait une question pratique et urgente. Cela donnerait un objectif positif au Canada anglais et calmerait ses craintes d'une dissolution inévitable du pays. (Barbara Cameron, 1992: 242.)

> Si le Québec devait partir, les Canadiens seraient en posture d'adhérer à un nouveau programme politique, de dépasser les batailles territoriales, y compris celles qui cachent des griefs linguistiques et culturels, qui limitent actuellement notre imagination politique et sape notre énergie. (Roger Gibbins, 1993: 269.)

> Le pancanadianisme s'est toujours présenté comme un contrepoids aux impulsions décentralisatrices du nationalisme québécois et du régionalisme canadien-anglais. [...] Si on devait imaginer un Canada reconstitué duquel le Québec ne ferait plus partie ou aurait obtenu un statut associé, est-ce que le nationalisme canadien-anglais contribuerait de manière significative à cette nouvelle entité? [...] Le problème de l'utilisation de ce nouveau potentiel pour bâtir un Canada anglais uni repose sur la réalité du régionalisme. [...] En d'autres termes, le retrait du Québec de l'équation n'est pas la solution aux problèmes du nationalisme canadien. (Sylvia Bashevkin, 1991: 183, 185-186.)

Tous ne sont pas aussi nuancés. Michael Bliss, un historien nationaliste, avance qu'il ne fait aucun doute que le Canada en sortirait renforcé:

> La vérité, c'est que les Canadiens à l'extérieur du Québec sont unis par de très forts liens historiques et ethniques — les immigrants récents, qui sont moins affectés par certains de ces liens, sont quand même fort attachés au gouvernement national. Le provincialisme de politiciens-vautours comme Mike Harcourt et Ralph Klein n'est qu'un vernis superficiel; il serait instantanément anéanti par une épreuve nationale. Si le Québec se séparait, non seulement pourrions-nous continuer comme avant, mais nous pourrions peut-être recréer la nation en constituant une union plus efficace. (Michael Bliss, *TS*, 3 juin 1994.)

> Le départ du Québec, ou même l'anticipation d'un départ du Québec, pourrait déclencher l'émergence d'un fort sentiment nationaliste dans le reste du Canada, qui s'organiserait autour d'une langue commune, d'un attachement commun à une charte des droits plus étendue, et d'un appui à un gouvernement national fort, bien que remanié pour rendre la représentation régionale plus efficace. [...] [Ce] scénario préfigure un avenir meilleur pour le Canada et le Québec. (Roger Gibbins, 1991: 15, 17.)

> Le départ du Québec inaugurerait une renaissance de la Charte [canadienne des droits et libertés]. Le Canada hors Québec appuierait la Charte et celle-ci renforcerait le Canada hors Québec. La conséquence serait un État plus démocratique, plus ordonné et plus cohérent. Pour la première fois depuis des décennies, nous pourrions parler d'une «nation» canadienne. (F. L. Morton, 1995: 97.)

> Le nouveau Canada qui émergerait après le divorce du Québec serait une vigoureuse démocratie dotée d'une constitution comprenant une charte des droits et libertés qui place au premier plan la protection de la liberté des individus. (David Bercuson et Barry Cooper, 1991: 168.)

Quels liens uniraient alors les Canadiens?

> Si le Québec devait partir, le Canada se retrouverait comme une grande famille, certes *malheureuse*, mais plus que jamais depuis ses 130 années d'existence, il constituerait une famille. (F. L. Morton, 1995: 111.)

> Le Oui ébranlera chaque Canadien, incertain désormais de sa propre nationalité. [...] Le Québec ayant rejeté la collectivité nationale, des doutes surgiront sur la permanence du Canada. Ottawa affirmera que le Canada vivra et poursuivra sa route. La défense de ses intérêts face au Québec exigera l'unité. Le reste du Canada, qui était jusqu'alors une création de l'esprit, deviendra réalité. (Robert Young, 1995: 164.)

Comme le suggèrent les différents discours, dès que la société canadienne-anglaise prendra conscience de son existence propre, la continuité du Canada devrait être assurée. Ce cheminement a d'ailleurs commencé lorsque la perspective d'indépendance du Québec est devenue plus sérieuse, c'est-à-dire à la suite de l'échec de l'accord du lac Meech en 1990. En ce sens, le mouvement souverainiste rend service au Canada anglais. Le Canada qui sera issu de la rupture politique avec le Québec sera sans doute différent, mais il sera plus en harmonie avec la réalité sociologique canadienne-anglaise.

❑

Pour en savoir plus long

DUFOUR, Christian, «Les conséquences de la victoire d'un "non", à la lumière de l'évolution récente du fédéralisme canadien», *Choix, série Québec-Canada*, Institut de recherche en politiques publiques, vol. I, nº 7, mai 1995, p. 30-38.

LEGAULT, Josée, «La minorité anglo-québécoise et le référendum», *Choix, série Québec-Canada*, Institut de recherche en politiques publiques, vol. I, nº 9, juin 1995, p. 4-15.

MCROBERTS, Kenneth (dir.), *Beyond Quebec. Taking Stock of Canada*, Montréal et Kingston, McGill-Queen's University Press, 435 p.

PARIZEAU, Jacques, «Quebec is Canada's constant toothache until it leaves», *Canadian Speeches: Issues of the Day*, vol. VIII, décembre 1994, p. 9-16.

CONCLUSION

Imaginer l'impensable

Entre 1990 et 1995, les Canadiens anglais ont cherché à imaginer l'impensable: ils ont discuté des enjeux inhérents à la souveraineté du Québec. Après maintes hésitations, leurs leaders d'opinion ont décidé de participer au débat sur l'avenir du Québec, plus particulièrement dans la foulée des premiers voyages du chef du Bloc Québécois comme chef de l'opposition officielle à la Chambre des communes. Depuis le référendum de 1980, le droit du Québec à l'autodétermination semble acquis, mais dans la mesure où les souverainistes ont des chances de l'emporter, les modalités de l'application de ce droit sont contestées. Par exemple, la légalité de la sécession est parfois mise en doute, d'autant plus que la Loi constitutionnelle de 1982 a relégué le Québec au rang de province comme les autres et que les négociations de 1992 ont renforcé le principe de l'égalité des provinces au Canada.

Dans un autre ordre d'idée, l'intégrité territoriale d'un Québec souverain a été remise en question à la suite de la crise d'Oka et des revendications territoriales des autochtones, de même que par le fait que le Québec n'ait acquis l'Abitibi et l'Ungava qu'après son entrée dans la Confédération. Cela en a poussé quelques-uns à parler de démembrement du Québec et même de guerre civile pour empêcher le Québec de «partir» avec tout son territoire. Par ailleurs, les voyages des leaders souverainistes en France et aux États-Unis ont soulevé la question de la reconnaissance internationale d'un Québec souverain et de son adhésion à l'ALENA et au GATT. Enfin, les coûts de transition liés à la souveraineté, tant pour le Québec que pour le Canada, la négociation d'une association économique Canada-Québec et les relations entre un Québec et un Canada anglais politiquement indépendants l'un de l'autre ont été autant de sujets qui orientent la discussion. Contrairement à ce qu'on croit généralement, les Canadiens anglais ne s'intéressent pas qu'aux points litigieux comme le partage de la dette, la double citoyenneté et la monnaie commune. Ils entrevoient aussi la fin du débat constitutionnel, l'émergence d'un débat politique plus «sain» et l'établissement de relations harmonieuses avec un Québec devenu pays voisin.

En juin 1995, le Parti Québécois, le Bloc Québécois et l'Action démocratique ont conclu une entente dans laquelle ils ont défini le contenu de la question référendaire. Cette dernière proposera d'offrir au Canada anglais de négocier un nouveau partenariat avec le Québec. Il est au moins deux éléments du projet du «Camp du changement», comme on désigne la coalition souverainiste, qu'il faut d'ores et déjà écarter. La majorité des Québécois perdront le passeport canadien. De plus, si des institutions politiques communes sont établies, le Québec y sera minoritaire.

La double citoyenneté (canadienne et québécoise) ne sera pas consentie à l'ensemble des citoyens du Québec. Cela obligerait le gouvernement canadien à accorder une protection sociale sur demande à un trop grand nombre d'individus vivant et payant leurs impôts au pays voisin, le Québec. Il reste que rien n'empêchera les deux pays de conclure un accord prévoyant la libre circulation des personnes entre les deux pays, à des fins de travail par exemple. De toute façon, n'est-ce pas le but de la souveraineté que de créer une nouvelle citoyenneté québécoise qui serait le trait d'union de toute la population du Québec?

Par ailleurs, il serait contre les intérêts du Canada anglais d'accepter que le Québec détienne un pouvoir paritaire sur les institutions politiques communes. Le poids du Québec passerait ainsi de 25 à 50 %, ce qui va à l'encontre d'un principe démocratique fondamental: la représentation proportionnelle à la population (ou *Rep. by pop.*). Ce n'est qu'à travers les traités et la diplomatie internationale que l'égalité est possible entre des pays de différentes dimensions. Le Québec doit devenir un acteur souverain à part entière pour discuter d'égal à égal dans le concert des nations. De toute façon, ces nouvelles institutions politiques canado-québécoises sont-elles bien nécessaires? N'est-ce pas le but de la souveraineté que de créer des institutions politiques distinctes, entièrement dirigées par les Québécois?

Dans ce livre, on retrouve toute la gamme de propos, des plus inquiétants aux plus rassurants. Pour chaque individu qui prédit de grands malheurs, il s'en trouve au moins un pour faire preuve de plus de discernement et affirmer que tout va bien se passer.

Les opinions des leaders canadiens se situent sur un continuum qui vont des scénarios roses de Jacques Parizeau aux prévisions catastrophistes de l'économiste gourou des fédéralistes québécois, Marcel Côté (1995). Les scénarios d'apocalypse ont pour principale caractéristique d'être des prophéties créatrices. C'est-à-dire qu'il suffit que des courtiers annoncent le retrait de quelques investisseurs importants du Québec et du Canada pour qu'une panique s'installe dans le monde financier. De la même manière, il suffit que quelques «têtes chaudes» en appellent aux armes pour que soudain monte la tension. Cela dit, le poids de l'histoire et de la tradition canadienne et québécoise penche du côté de la tolérance et de la modération. Y aura-t-il suffisamment de gens rationnels au Québec et au Canada anglais pour rappeler à l'ordre ces fauteurs de troubles? Il semble bien que oui, même s'il est impossible de dépasser les propositions générales déjà émises pour envisager des scénarios détaillés. Il vient un jour où il faut exprimer ce qu'on veut plutôt que de chercher à prévoir l'imprévisible.

Dans cet ouvrage, j'ai choisi de diviser par thèmes la réflexion des Canadiens anglais sur la souveraineté du Québec. J'aurais également pu suivre son évolution de manière chronologique. Pour une première série d'auteurs, la réaction fut brutale. On prévoyait des coûts de transition prohibitifs pour le Québec, tant financièrement qu'en territoires perdus (voir David Bercuson et Barry Cooper, 1991; Patrick Grady, 1991*a*; David Varty, 1991; Scott Reid, 1992). Puis, ce fut le désir d'exprimer la vision constitutionnelle du Canada hors Québec. C'est à ce moment que, du bout des lèvres, on a commencé à employer l'expression «Canada anglais» (voir Jack Granastein et Kenneth McNaught [dir.], 1991; Philip Resnick, 1991). Dans une troisième étape, la réflexion a débouché sur des scénarios post-référendaires plus précis, y compris une importante série d'études sur les conséquences de la souveraineté dans la collection «The Canada Round» de l'Institut C. D. Howe de Toronto (voir aussi Daniel Drache et Roberto Perin, 1992; Jonathan Lemco, 1994; Alan Freeman et Patrick Grady, 1995; Robert A. Young, 1995). En bout de piste, cet exercice aura renforcé une certaine conscience de soi et le désir de définir l'identité canadienne-anglaise (voir Philip Resnick, 1994; Kenneth McRoberts [dir.], 1995).

Enfin, j'aurais pu découper l'intelligentsia canadienne-anglaise selon ses idéologies. Il existe plusieurs typologies des idéologies canadiennes. Par exemple, Peter Russell divise les nationalistes canadiens en trois écoles de pensée:

> Le nationalisme canadien est un ensemble complexe de sentiments, doté d'une gauche, d'un centre et d'une droite. À gauche, on retrouve les sociaux-démocrates qui aspirent à des normes sociales pancanadiennes et appuient un gouvernement central fort. Au centre, on retrouve les «Canadiens de la Charte» qui croient, comme Trudeau, que l'égalité des droits individuels doit être le fondement de la Constitution. Enfin, à droite, on retrouve les gens d'affaires et les économistes qui veulent un Canada plus efficace et en mesure d'affronter la concurrence internationale. (Peter Russell, 1993: 156.)

Les courants de pensée représentés dans le présent ouvrage diffèrent de ceux qu'a décrits Russell. Pour ma part, j'ai perçu six courants chez les leaders d'opinion canadiens-anglais. Le discours de nombre d'individus se prêtant mal à la classification, il est impossible d'intégrer dans ces catégories analytiques l'ensemble des 200 personnes citées ici. Quelques exemples suffiront à illustrer chaque école de pensée.

Il y a tout d'abord les «groupes issus de la Charte». Leur principal objectif est de protéger les intérêts des individus faisant partie de groupes définis par la Charte canadienne des droits et libertés, comme les groupes ethnoculturels minoritaires, les autochtones et les personnes défavorisées ou victimes de discrimination. De prime abord, les disciples de la Charte se tiennent à l'écart des discussions entourant la question nationale. Mais puisque la Charte est enchâssée dans la Constitution, ils sont de farouches défenseurs du *statu quo* dans les rapports Québec-Canada. On retrouve des exemples de leur discours dans les propos des leaders autochtones, de Mary Ellen Turpel et d'Alan Cairns, qui a lui-même bien décrit les conséquences de la Charte de 1982 sur la culture politique canadienne.

Un deuxième groupe de la gauche intellectuelle s'est formé autour de l'idée de l'existence au Canada des nations autochtone, québécoise et canadienne. Les membres de l'«école des trois nations» sont très favorables à l'octroi d'un statut particulier au Québec et à la reconnaissance de son droit à l'autodétermination. Cette école regroupe des politologues de Toronto et d'ailleurs, tels que Reg Whitaker, Daniel Drache, Kenneth McRoberts, Robert Young, John Conway, Philip Resnick, ainsi que le leader syndical Bob White.

Dans l'axe Kingston-Ottawa-Université McGill s'est développée la pensée des fédéralistes libéraux pluralistes qualifiés d'«école de l'accommodation des élites». La machine administrative qui a aiguillonné les accords de Meech et de Charlottetown s'inspire de ces intellectuels, dont plusieurs sont des Québécois. Mais, dans cet ouvrage, on a surtout entendu les voix de Tom Courchene, Peter Leslie, Douglas Brown, Stanley Hartt et du journaliste Jeffrey Simpson. Proches des politiciens, surtout fédéraux, du Canada anglais, ils sont, par conséquent, favorables à l'unité canadienne.

L'«école des historiens de Toronto» réunit des nostalgiques de la Conquête qui ne dédaigneraient pas contraindre le Québec à demeurer canadien par la force militaire ou économique. Ce sont les voix les plus souvent entendues en période de tension: Michael Bliss, Kenneth McNaugh et le journaliste Andrew Coyne. Le sentiment de ces «nostalgiques» est que, advenant la séparation du Québec, tous leurs ancêtres depuis 1760 auraient vécu en vain.

Par contre, la «droite populiste de Calgary», proche du Reform Party, est sans doute la force montante au Canada anglais. Elle préconise un canadianisme «sans trait d'union», c'est-à-dire sans distinction entre Canadiens anglais, Canadiens français, néo-Canadiens, etc. Ceux qui appartiennent à cette école sont de philosophie libérale classique et favorables à l'égalité des individus et des provinces. Ils ne favorisent aucun compromis avec le nationalisme québécois avant la séparation. Ensuite, la négociation devra être fondée sur l'intérêt national canadien. David Bercuson et Tom Flanagan en sont des porte-parole fort entendus.

Une autre droite, «néolibérale» celle-là (chez les anglophones, on dirait néoconservatrice), est essentiellement formée d'individus proches du monde des affaires, comme Conrad Black, David Frum et Diane Francis, de même que plusieurs intellectuels au service des instituts C. D. Howe et Fraser. Ils préconisent le retrait des gouvernements et la décentralisation. Ils s'opposent à tout ce qui pourrait déstabiliser l'économie. Par conséquent, avant le référendum, ils feront tout pour empêcher la souveraineté du Québec. Après le référendum, ils pourraient être les premiers à réclamer un accord entre les parties.

Le Canada anglais présente un portrait idéologique diversifié. Le lendemain d'un OUI, comment ces écoles vont-elles s'aligner? Initialement, «l'école de l'accommodation des élites» et les «groupes issus de la Charte» pourraient bien s'allier aux «historiens de Toronto» pour tenter de convaincre le Québec de reconsidérer sa décision.

De l'autre côté, «l'école des trois nations» plaidera en faveur de la reconnaissance immédiate du Québec et d'un accord rapide pour normaliser la situation. Dirigée par Preston Manning, la «droite populiste de Calgary» appuiera sans doute cette démarche, réclamera des élections fédérales et se présentera comme le groupe le plus apte à négocier au nom du Canada anglais.

C'est finalement la «droite néolibérale» qui détiendra la carte maîtresse. Si le OUI l'emporte par une très faible majorité et qu'on sente que le Québec ne tiendra pas le coup, elle militera en faveur d'un jugement déclaratoire annulant le référendum québécois ou pour la tenue rapide d'un référendum pancanadien pour inciter les Québécois à revenir sur leur décision. Si, au contraire, l'écart entre le OUI et le NON est de plus de 5 % (53 % à 47 %, par exemple) et que les Québécois démontrent une volonté claire de défendre leur souveraineté, le monde des affaires fera pression pour un règlement dans les plus brefs délais.

Mais, en toute dernière analyse, c'est l'électorat canadien qui aura le dernier mot et qui décidera de l'attitude des autorités politiques du Canada anglais après le référendum, car c'est lui qui les élira. Les sondages d'opinion devraient donc nous mettre sur une bonne piste. Ils indiquent que, depuis plusieurs années, les Canadiens sont favorables à la négociation d'une association économique avec un Québec souverain, et ce peu importe les régions (Pierre Martin, 1995). Toutefois, on a noté un changement dans l'opinion publique canadienne-anglaise, qui est devenue plus incertaine à partir du printemps 1994, moment de la radicalisation du discours de certaines élites. La firme Angus Reid a mesuré une chute du tiers pour ce qui est de l'appui à l'association économique entre ses sondages de 1991 et de 1994. Dans le premier, 6 Canadiens sur 10 se disaient favorables, comparativement à 4 sur 10 trois ans plus tard. Cependant, 60 % des répondants considéraient qu'Ottawa n'aurait pas le choix et devrait s'asseoir et négocier (voir *SOL* et *OC*, 4 juin 1994). L'effet du discours radical n'a donc pas complètement aveuglé l'opinion publique canadienne-anglaise.

Dans l'introduction, les quatre attitudes canadiennes-anglaises observées depuis le printemps 1994 ont été mises en lumière. La réapparition d'une certaine forme de *bluff* dans le but d'influer sur le vote des Québécois au référendum souligne l'importance d'étudier les débats qui ont eu cours avant la campagne référendaire. Tant que les Québécois n'auront pas exprimé clairement leur intention relativement à la souveraineté, les Canadiens anglais préféreront le *statu quo* à une association entre pays souverains. Mais dans le contexte d'un vote en faveur de la souveraineté, leur choix sera différent. Ils ne pourront plus se rabattre sur le *statu quo* comme ils le font depuis trente ans. Ils n'auront alors qu'une alternative: soit de négocier une association avec le Québec, soit de condamner les deux nouveaux pays à s'isoler. Il est clair que la seconde option nuirait tout autant au Canada anglais qu'au Québec, car aujourd'hui, nul pays ne désire l'indépendance totale.

Le succès de l'alliance référendaire entre le Parti Québécois, l'Action démocratique du Québec et le Bloc Québécois après le «virage associatif» amorcé en avril 1995 par les souverainistes repose sur la crédibilité de l'offre de partenariat que le Québec fera au Canada anglais après le référendum. Les opinions recueillies dans ce livre montrent qu'au-delà d'une certaine rhétorique belliqueuse, le Canada anglais trouvera qu'il est dans son intérêt d'accepter un certain degré d'intégration économique avec un Québec souverain.

À l'aube de la prochaine décision référendaire, les Québécois ont tout intérêt à connaître ces opinions. Car c'est avec le Canada que le Québec négociera sa première association économique et c'est ce même Canada qui deviendra ensuite son allié dans les forums internationaux.

❑

Pour en savoir plus long

BLOC QUÉBÉCOIS, *Parlons d'avantages*, Montréal, 1995, 56 p.

CLOUTIER, Édouard, Jean-H. GUAY et Daniel LATOUCHE, *Le virage: l'évolution de l'opinion publique au Québec depuis 1960 ou comment le Québec est devenu souverainiste*, Montréal, Québec/Amérique, 1992, 182 p.

COMMISSION NATIONALE SUR L'AVENIR DU QUÉBEC, *Rapport*, Québec, 1995, 102 p.

CONSEIL POUR L'UNITÉ CANADIENNE, *Direction: Argumentaires*, Montréal, janvier 1995, 132 p.

DUFRESNE, Jacques et Gary CALDWELL (dir.), *Référendum 1995... ou 1996. Le guide de l'Agora*, cahier spécial de *L'Agora*, février 1995, 32 p.

IPSO, *Manifeste des intellectuels pour la souveraineté. Douze essais sur l'avenir du Québec*, Montréal, Fides, 1995.

Le Québec un pays à portée de main, numéro spécial de *L'Action nationale*, vol. LXXXIV, n° 10, décembre 1994, 615 p.

MARSOLAIS, Claude V., *Le référendum confisqué*, Montréal, VLB éditeur, 1992, 266 p.

MARTIN, Pierre, «Générations politiques, rationalité économique et appui à la souveraineté du Québec», *Revue canadienne de science politique*, vol. XXVII, n° 2, juin 1994, p. 345-359.

PARTI LIBÉRAL DU QUÉBEC, *Que signifie pour vous la séparation du Québec?*, Montréal, 3 février 1995, 18 p.

PARTI QUÉBÉCOIS, *La souveraineté: des réponses à vos questions*, Montréal, 1995, 48 p.

PINARD, Maurice, «The dramatic reemergence of the Quebec independence movement», *Journal of International Affairs*, vol. XLV, nº 2, hiver 1992, p. 471-497.

Rendez-vous 1995: mémoire et promesse, numéro spécial de *Possibles*, vol. XIX, nºs 1-2, 330 p.

Souveraineté/Sovereignty, numéro spécial d'*Options politiques*, vol. XVI, nº 3, avril 1995, 48 p.

Bibliographie

I. Quotidiens

L'Acadie Nouvelle (*AN*), Caraquet, Nouveau-Brunswick

12 mai 1994, «La SAANB ne néglige aucun scénario», par Jean-Marie Nadeau.
16 mai 1994, «La tête dans le sable», par Nelson Landry.

The Calgary Herald (*CH*), Calgary, Alberta

19 mai 1994, «Read the fine print», éditorial.
26 mai 1994, «The Big Hush-Hush prescription is hard to swallow», par William Gold.
4 juin 1994, «Valuable Canadian trade ties at stake», par Donald Campbell.
29 août 1994, «Quebec will pay high price to leave», éditorial.
14 septembre 1994, «Quebec», par Charles Frank.
14 octobre 1994, «Doomed to failure», éditorial.
9 novembre 1994, «Cuts win bond-rater's praise», par Claudia Cattaneo.
30 décembre 1994, «Separatism may be good for Canada», par David Yager.
4 janvier 1995, «Once again it's the year of Quebec in Canada», par William Gold.
13 janvier 1995, «Cold hostility surrounds talk of separation», par William Gold.

The Chronicle-Herald (*HCH*), Halifax, Nouvelle-Écosse

20 mai 1994, «Wake up calls for separatists», éditorial.
1er juin 1994, «A whiff of sense», éditorial.
24 septembre 1994, «Canada's marriage will last, for better, not for worse», par Eric Dennis.
26 septembre 1994, «Quebec separation obligation a hefty bill to contemplate», par Robin M. Richardson.
19 décembre 1994, «Quebec situation may be blessing in disguise», par Heather Dennis.
15 mars 1995, «Sovereigntists' hired guns shoot blanks», éditorial.

Le Devoir (*DEV*), Montréal, Québec

20 janvier 1992, «Le PQ croit que le Canada reconnaîtra le Québec souverain avant tout autre pays», par Robert Dutrisac.
7 avril 1994, «De la névrose à la sérénité», par Pierre O'Neil.
10 mai 1994, «La recette pour sauver le Canada», par Jean Dion.
19 mai 1994, «Les gros mots», par Jean Dion.
27 mai 1994*a*, «Les francophones hors Québec remettent les pendules à l'heure», par Jean Dion.
27 mai 1994*b*, «Le destin d'une société distincte», par Jacques Parizeau.
18 juin 1994, «Crise constitutionnelle à l'horizon», par Joseph Eliot Magnet.
27 juin 1994, «Processus plus complexe que ne le présente le PQ», par Gordon Robertson.
4 octobre 1994, «Souveraineté, le président d'Imasco prophétise 10 ans de chaos», par Allan Swift.
8 février 1995, «Les deux tiers des Canadiens estiment que les Québécois "ont le droit" de se séparer», par Michel Venne.
10 février 1995, «Si c'est NON, le *statu quo*?», par Michel Venne.
24 avril 1995, «Fédération et indépendance», par Edward McWhinney.

Le Droit (*DRO*), Ottawa, Ontario

24 janvier 1992, «La "séparation" du Québec constituerait un désastre», par Michel Van de Walle.
22 février 1992, «La marche folle de l'Histoire», par Allan R. Taylor.
24 novembre 1994, «L'indépendance n'est pas une menace — pour l'instant», par Pierre Jury.
9 février 1995, «L'Ouest veut une réforme constitutionnelle», par Michel Vastel.

The Edmonton Journal (*EJ*), Edmonton, Alberta

4 mars 1994, «Steady as she goes on Quebec question», éditorial.
27 mai 1994, «Chretien's choice: Play it cool or get involved», par Brian Laghi.
28 mai 1994, «The Quebec question: It's B-A-A-C-K», par Norman Ovenden.
13 juin 1994, «We're a nation with an attitude», par Angus Reid.
10 septembre 1994, «Hell, no! Quebec can't go», par William Gairdner.
23 novembre 1994, «Quebec plan illegal, says eminent jurist», par Ed Struzik.
24 mars 1995, «Will we meet again in the bye and bye after the referendum?», par Allan Chambers.

The Evening Telegram (*ET*), St. John's, Terre-Neuve

11 août 1994, «More fish for separate Quebec. When pigs learn to fly», éditorial.
14 décembre 1994, «Sovereignty and rising deficits: Quebec cannot afford both», éditorial.

The Financial Post (*FP*), Toronto, Ontario

20 avril 1994, «Time to face the "Quebec Question" again», par Gord Sinclair.
23 avril 1994, «Canada drifts silently toward desintegration», par Alan Toulin.

30 avril 1994, «A Quebec divorce doesn't rate bedroom priviledges», par Diane Francis.

7 mai 1994, «Independent Quebec could use C$», par Jill Vardy.

12 mai 1994, «Need to hold off Parizeau's "hostile takeover"», par Diane Francis.

20 mai 1994, «Federalists must prepare their battle plan», par Andrew Cohen.

21 mai 1994, «Might will be right in Quebec versus Canada», par David Frum.

26 mai 1994, «The dangers of separating Canada's debt», par Lisa Grogan-Green.

31 mai 1994, «Business won't wade into Quebec debate», par John Geddes.

7 juin 1994, «Independence no solution to minority rights», par Diane Francis.

8 juin 1994, «Rift grows over Quebec threats», par Janet McFarland *et al.*

11 juin 1994, «Separatists lose key battle to Western Canada», par Ted Byfield.

25 août 1994, «Independent Quebec faces massive debt burden: Study», par Greg Ip.

10 septembre 1994, «Separation pains», par James Walker.

19 novembre 1994, «A new federalism can sway Quebecers», par Stanley Hartt.

7 décembre 1994, «PQ's draft bill makes wrong assumptions», éditorial.

27 janvier 1995, «No easy entry for Quebec», éditorial.

8 février 1995, «Surely you jest, Mr. Campeau», éditorial.

9 mars 1995, «Having you cake...», éditorial.

16 mars 1995, «PQ's sovereignty proposals don't survive close study», éditorial.

1er avril 1995, «Parizeau should watch Canada's tough turbot tactics closely», par David Bercuson.

22 avril 1995, «A strange way to leave», éditorial.

18 mai 1995, «Tax study does little to support separatists», éditorial.

The Gazette (GAZ), Montréal, Québec

2 mai 1994, «Author predicts civil war if Quebec opts to separate», par Bob Cox.
3 mai 1994, «Marching to civil war?», par Don MacPherson.
7 mai 1994, «An amicable divorce? West won't buy Bouchard's pitch», par Hubert Bauch.
10 mai 1994, «More than a bare majority needed for separation», par William Johnson.
19 mai 1994, «What if?» par Don MacPherson.
13 juin 1994, «20 questions», par Jean-Claude Leclerc.
22 juin 1994, «BC author predicts Canada will splinter if Quebec separates», par Terrance Wills.
1er septembre 1994, «Independence and free trade», par Gordon Ritchie.
1er septembre 1994, «An independent Quebec would face big hurdles in trade deals», par Brian Russell.
14 octobre 1994, «Bouchard and Manning out to lunch on the right to secede», par William Johnson.
23 novembre 1994, «West sees Quebec's departure as the best solution», par William Johnson.
30 novembre 1994, «French education would survive in rest of Canada enven if Quebec goes: Group», par Paul Wells.
21 décembre 1994, «That's more like it», par William Johnson.
11 janvier 1995, «Major study predicts economic chaos, unrest if Parizeau wins vote», par Terrance Wills.
16 janvier 1995, «Is split moral? Profs disagree», par Rod MacDonell.
23 mars 1995, «C. D. Howe meeting didn't plot a Quebec recession», par Stanley Hartt.
26 mars 1995, «Who could speak for the rest of Canada?», par Terrance Wills.
7 mai 1995, «Legal opinions about separation», par Alan Hustak.
11 mai 1995, «"Separate Quebec would default"», par Sandra Rubin.

The Globe and Mail (GM), Toronto, Ontario

16 avril 1994, «Violent prediction of Quebec», [s.a.].
5 mai 1994, «Where would Quebec's separation leave BC?», par Rafe Mair.

7 mai 1994, «Separatism's new siren call», par Rhéal Séguin.
7 mai 1994, «It's time to anticipate the consequences of a vote on Quebec independence», par William Thorsell.
16 mai 1994, «The native spanner in the separatist works», par John McGarry.
19 mai 1994, «International law isn't on Mr. Parizeau's side», par Patrick J. Monahan.
20 mai 1994, «Time to be honest about Quebec», éditorial.
23 mai 1994*a*, «The great Canadian land rush», par Robert Sheppard.
23 mai 1994*b*, «Outside attack incite separatism, Quebec observer warns», par Richard Mackie.
30 mai 1994, «How the lines are being drawn on Quebec», par Murray Campbell.
31 mai 1994, «Shut up about Québec? Not this time», éditorial.
4 juin 1994, «Quebec question becomes how, now why», par Susan Delacourt.
7 juin 1994, «Breakup talks must include all regions, expert says», par Richard Mackie.
13 juin 1994, «How to avoid a bitter battle: Partition Quebec», par Kenneth McNaught.
5 septembre 1994, «Canada has every right to preserve itself from breaking up», par Andrew Coyne.
13 septembre 1994, «Building the will to rebuild», par David J. Bercuson.
15 octobre 1994, «Stay or go, our choice too, Cree leader say», par John Gray.
17 octobre 1994, «Canada, the one and future nation», par William Thorsell.
18 octobre 1994, «Not just separatists see value of whip», par Susan Delacourt.
12 décembre 1994, «Beware of the third option between separation and the status quo», par Andrew Coyne.
13 décembre 1994, «Quebec warned of giant deficit», par Barrie McKenna.
15 décembre 1994, «The theory and practice of currency in an independent Quebec», par Jeffrey Simpson.
6 janvier 1995, «Legal arguments against secession avoid the unthikable force», par Jeffrey Simpson.

9 janvier 1995, «Recognizing Quebec's democratic decision», par Kenneth McRoberts.
9 janvier 1995, «Is separation legal? The question is red herring», par Gordon Gibson.
10 janvier 1995, «Is 50 per cent plus one enough to end Canada?», éditorial.
11 janvier 1995, «Can't accept Yes vote, reports says», par Susan Delacourt.
12 janvier 1995, «What happens to Canada's national debt?», par Patrick Monahan.
23 janvier 1995, «It's no "narrow legalism" to ask Quebeckers want a law-based state», par Andrew Coyne.
9 février 1995*a*, «The Canadian solution», éditorial.
9 février 1995*b*, «If Quebec to pay, what would a fair share be?», par Alan Freeman.
16 février 1995, «Dividing Canada: A look at the nation without Quebec», par Murray Campbell.
21 février 1995, «Appealing possibilities for Canada, no matter what Quebec decides», par Conrad Black.
28 février 1995, «Still Canadian citizens, eh?», par Alan Freeman et Patrick Grady.
20 mars 1995, «Separation would unleash years of chaos, Campbell warns», par Ross Howard.
21 avril 1995, «Breaking up to get together», éditorial.
24 avril 1995, «Separatism dies a slow death, caugth in its own contradictions», par Andrew Coyne.
26 avril 1995, «Separatists may harness rejection», par Rhéal Séguin.
18 mai 1995, «Free to turn Quebec into a tax haven?», par Peter Cook.

Le Journal de Montréal (*JM*), Montréal, Québec

25 août 1994, «Let Them go, dit-on en C.-B.», par agence France-Presse.

The Leader-Post (*LP*), Regina, Saskatchewan

25 janvier 1994, «A question for Quebec to answer», éditorial.

The Ottawa Citizen (OC), Ottawa, Ontario

18 octobre 1992, «Banking on a United Canada», par Lynda Hurst.
10 mai 1994, «Separation almost done deal», par Les Whittington.
12 mai 1994, «Separatism debate marred by misconceptions», par Charles Lynch.
19 mai 1994, «Cree say army should be ready to guard lands», par Jack Aubry.
28 mai 1994, «Ontario stature shrinks», éditorial.
4 juin 1994, «Simple majority just won't do», par Anne McIlroy.
28 septembre 1994, «Historian warns of violent Quebec separation», par Leonard Stern.
10 février 1995, «A very Canadian independence movement», par David Cameron.
9 mars 1995, «Quebecers would lose social programs, study suggests», par Stanley Hartt.
16 mars 1995, «Quebec deserves pat on back», par Jehan Khoorshed.
11 avril 1995, «Rest of Canada tells sovereigntists: Time for reality check», par Doug Fisher.
12 avril 1995, «Last tango in Quebec as Euro-style union with Canada defies logic», par Ken MacQueen.
22 avril 1995, «Have you ever heard a book backfire?», par Paul Gessel.
10 mai 1995, «It would cost Quebec $144 billion to stand alone, says report», par Éric Beauchesne.

The Ottawa Sun (*OS*), Ottawa, Ontario

6 mars 1994, «TROC will dedide in the end», par Allan Fotheringham.
19 avril 1994, «Stirring up the pot on independence», par Allan Fotheringhan.
25 avril 1994, «Simple truth», éditorial.
5 mai 1994, «Separation flash points», par Rick Gibbons.
20 mai 1994, «Irwin's line in the tundra», par Rick Gibbons.
8 juin 1994, «TIT-FOR-TAT. Economists, PQ have different views on Quebec separation», par Stuart McCarthy.

13 juin 1994, «Kim's Revenge», par Peter Stockland.
9 décembre 1994, «Parizeau's presidential dream», par Robert Fyfe.
15 mars 1995, «Quebec follies», par Sean Durkan.

La Presse (*PRE*), Montréal, Québec

4 janvier 1992, «Revue de l'année 1991», par Guy Pinard.
28 septembre 1992, «Ce qu'ils ont dit… sur le rapport de la Royale», [s.a.].
16 avril 1994, «Le PE va demander à l'armée d'intervenir si le Québec se sépare», par Suzanne Dansereau.
19 mai 1994, «L'émotion qui vient de l'Ouest», par Lysiane Gagnon.
26 mai 1994, «Manning lie l'avenir de Chrétien à l'échec du OUI au référendum», par Chantal Hébert.
24 décembre 1994, «La majorité des Canadiens préconisent la ligne dure en cas de victoire souverainiste», par Presse canadienne.
12 janvier 1995, «Aucune menace pour la voie maritime», par Denis Arcand.
16 janvier 1995, «Le Canada anglais sera incapable de négocier la séparation du Québec», par Gérald LeBlanc.
28 janvier 1995, «"Que le Québec se la ferme ou qu'il s'en aille!"», par Gérald LeBlanc.
17 mars 1995*a*, «Parizeau dénonce l'idée de "faire souffrir" un Québec qui dirait Oui», par Philippe Cantin.
17 mars 1995*b*, «C. D. Howe réplique à Parizeau», par Philippe Cantin.
19 mars 1995, «Le Canada invité à agir rationnellement advenant un oui», par Manon Cornellier.
14 avril 1995, «Un visiteur intrigué par l'onde de choc Bouchard», par Gérald LeBlanc.
15 avril 1995, «Lettre de Toronto: Faut-il en rire ou en pleurer?», par John Honderich.
21 avril 1995, «Le projet d'union politique agace le Canada anglais», par Suzanne Dansereau.
6 mai 1995, «Lettre de Toronto: Toute possibilité d'un référendum honnête semble désormais exclue», par John Honderich.

26 juin 1995, «La critique des francophones du Nouveau-Brunwick passe par le Québec», par Presse canadienne.

Le Soleil (*SOL*), Québec, Québec

18 mai 1994, «Les autochtones auront le choix de rester Canadiens», par Pierre-Paul Noreau.
31 mai 1994, «Le plan secret de Bob Rae», par Michel David.
4 juin 1994, «Les Canadiens prêts à souffrir pour que le Québec paie», par Pierre-Paul Noreau.
7 juillet 1994, «Union probable après un OUI. Le reste du Canada l'admet», par Donald Charette.
16 octobre 1994, «Galbraith refuse toujours de voir le Canada se briser», [s.a.].

The Times-Colonist (*TC*), Victoria, Colombie-Britannique

10 juin 1994, «If Quebec quits Canada needs PLAN B — Fraser Institute head», par Norman Gidney.
12 mars 1995, «Dual citizenship far too costly», éditorial.

The Toronto Star (*TS*), Toronto, Ontario

26 janvier 1994, «Quebec divorce would be messy», par Jack McArthur.
11 mars 1994, «Breaking apart a complex nation is no simple task», par Michael Bliss.
7 mai 1994, «Mainstream English Canada hardens attitude to Quebec», John Honderich.
11 mai 1994, «Canadians in no mood to appease Quebec», par Richard Gwyn.
17 mai 1994, «The PQ plan for re-association», éditorial.
19 mai 1994, «Breaking point», [s.a.].
20 mai 1994, «Ratcheting up the Quebec debate», éditorial.
20 mai 1994, «Ottawa's strategy against separatism begins to unfold», par Michael Bliss.
21 mai 1994, «Stoking the fires of separatism», par Robert McKenzie.
21 mai 1994, «Quebec is learning a divorce will be bitter», par Carol Goar.
22 mai 1994, «Canadians mustn't let separatists set political agenda», par Richard Gwyn.

25 mai 1994, «PQ's debt proposal is a non-starter», éditorial.

27 mai 1994*a*, «NDP "action plan" gives PQ a boost», par Robert McKenzie.

27 mai 1994*b*, «Hard national mood extends beyond Quebec issue», par Richard Gwyn.

29 mai 1994, «Separatism will spell lost jobs», par David Crane.

29 mai 1994, «Weak supporting cast undermines federalism», par Dalton Camp.

31 mai 1994, «Passion of Quebec issue scorches Ontario minister», par Thomas Walkom.

3 juin 1994, «D-Day reminds us just how tough Canada is in a crisis», par Michael Bliss.

8 juin 1994, «Stating costs of separation tests courage», par Jack McArthur.

9 juin 1994, «Reform claiming unity talks stake», par Derek Ferguson.

10 juin 1994, «Trade deal could show way for Quebec links, study says», par Shawn McCarthy.

11 juin 1994, «Politicized debate on unity could close door to dialogue», par David Crane.

29 juin 1994, «Separatist threat means Canada hit hard on rates», par Jack McArthur.

11 septembre 1994*a*, «Union good for Quebec and Canada», par Adam Mayers179.

11 septembre 1994*b*, «Why Quebec flourishes in Canada», par Jonathan Ferguson.

14 septembre 1994, «We can't keep quiet on economic woes of separation», par Jack McArthur.

15 septembre 1994, «What do we say if Quebec votes to get out?», par Thomas Walkom.

18 septembre 1994, «Let's make a deal with Quebec we can all agree on», par James Laxer.

29 septembre 1994, «Mayor set to woo Quebec firms», par John Spears.

1er octobre 1994, «Okay, we'll try not to meddle but what about Bouchard?», par John Honderich.

2 décembre 1994, «Canadians ready to be candid about already separate Quebec», par Richard Gwyn.

4 décembre 1994, «How we'd all suffer with separation», par David Crane.

18 décembre 1994, «What is this kerfuffle over Quebec anyway?», par Dalton Camp.

21 décembre 1994, «Quebecers must be sure about what they're voting for», par Richard Gwyn.

4 janvier 1995, «If Quebec is crying for help, how will you reply?», par Richard Gwyn.

13 janvier 1995, «Canada's defenders against péquistes shouldn't panic yet», par Michael Bliss.

8 février 1995, «Poll shows "common sense" of Canadians, says Parizeau», par Robert McKenzie.

12 février 1995, «Secession by Quebec risks Canada's very survival», par Maxwell Cohen.

18 février 1995, «Campeau's musings on debt scorched our studied cool», par John Honderich.

22 mars 1995*a*, «The high cost of Quebec separation», éditorial.

22 mars 1995*b*, «Separate Quebec, dollar too touchy for top banker», par Éric Beauchesne.

13 avril 1995, «Chrétien aware of danger lurking in separatist rift», par Rosemary Speirs.

The Vancouver Sun (*VS*), Vancouver, Colombie-Britannique

22 février 1994, «It's time to talk about the unthinkable», par Gordon Gibson.

27 septembre 1994, «Let's not get boxed in by Parizeau», par Gordon Gibson.

23 janvier 1995, «Quebec. So much to say, so little being heard», par Barbara Yaffe.

The Windsor Star (*WS*), Windsor, Ontario

31 mai 1994, «Lankin admits mistake over separation issue», par Richard Brennan.

3 juin 1994, «Tune in same time tomorrow», par Richard Brennan.

The Winnipeg Free Press (*WFP*), Winnipeg, Manitoba

20 mai 1994, «Premature issue», éditorial.
12 novembre 1994, «Missing the boat», éditorial.
29 mars 1995, «Premature doom», éditorial.

II. Livres et articles

ALDERMAN, Howard (1995), «Quebec: The morality of secession», dans Joseph H. Carens (dir.), *Is Quebec Nationalism Just?*, Montréal et Kingston, McGill-Queen's University Press, p. 160-192.

ATKINSON, Lloyd C. (1991), «A comment», dans David E. W. Laidler et William B. P. Robson (dir.), *Two Nations, One Money? Canada's Monetary System Following a Quebec Secession*, Toronto, C. D. Howe Institute, p. 53-55.

BANQUE ROYALE DU CANADA (1992), *Unité ou désunion: analyse économique des avantages et conséquences*, Montréal, Banque Royale du Canada, 47 p.

BANTING, Keith G. (1992), «If Quebec separates: Restructuring Northern North America», dans R. Kent Weaver (dir.), *The Collapse of Canada?*, Washington (D.C.), The Brookings Institution, p. 159-178.

BASHEVKIN, Sylvia B. (1991), *True Patriot Love. The Politics of Canadian Nationalism*, Toronto, Oxford University Press, 196 p.

BEHIELS, Michael D. (1992), «Recensions/Reviews: A Meech Lake…», *Revue canadienne de science politique*, vol. XXV, n° 1, mars, p. 156-158.

— (1995), «Trudeau as Nation Breaker?», *The Literary Review of Canada*, n° 40, juillet-août, p. 8-9.

BERCUSON, David J. et Barry COOPER (1991), *Deconfederation. Canada Without Quebec*, Toronto, Key Porter Books, 189 p.

BERGER, Thomas (1991), «Quebec's rendez-vous with independence», dans J. L. Granastein et Kenneth McNaught (dir.), *"English Canada" Speaks Out*, Toronto, Doubleday Canada, p. 309-321.

BLAKENEY, Allan (1991), «Something has snapped», dans Knowlton Nash (dir.), *Visions of Canada*, Toronto, McClelland and Stewart, p. 30-37.

BLAND, Douglas (1992), «Defence north of the 49th parallel: What happens to the military?», dans Daniel Drache et Roberto Perin (dir.), *Negotiating With A Sovereign Quebec*, Toronto, Lorimer, p. 204-212.

BOOTHE, Paul, Barbara JOHNSON et Karrin POWYS-LYBBE (1991), «Dismantling Confederation: The divisive question of the national debt», dans Paul Boothe *et al.*, *Closing the Books. Dividing Federal Assets and Debt If Canada Breaks Up*, Toronto, C. D. Howe Institute, p. 27-55.

BROWN, Douglas M. (1994*a*), «L'indépendance du Québec: examen des hypothèses en présence», *Opinion Canada*, vol. II, nº 4, août, p. 1-6.

— (1994*b*), «Unstable founding: PQ assumptions and the independence project», *Constitutional Forum Constitutionnel*, Centre for Constitutional Studies, University of Alberta, vol. VI, nº 1, automne, p. 6-10.

BRYM, Robert J. (1992), «Some advantages to Canadian disunity: How Quebec sovereignty might aid economic development in English-Speaking Canada», *Revue canadienne de sociologie et d'anthropologie*, vol. XXIX, nº 2, p. 210-226.

BUTEUX, Paul (1991), «The international dimension», dans Alex Morisson (dir.), *The Canadian Strategic Forecast 1992. Divided We Fall: The National Security Implications of Canadian Constitutional Issues*, Toronto, Canadian Institute of Strategic Studies, p. 53-58.

BYFIELD, Ted (1991), «Quebec was never part of Canada», dans Knowlton Nash (dir.), *Visions of Canada*, Toronto, McClelland and Stewart, p. 116-122.

CAIRNS, Alan C. (1991), «Constitutional change and the three equalities», dans Ronald L. Watts et Douglas M. Brown (dir.), *Options of a New Canada*, Toronto, University of Toronto Press, p. 77-100.

— (1995), *Suppose the "Yes" Side Wins: Are We Ready?*, Calgary, Canada West Foundation, coll. «Western Perspectives», 12 p.

CAMERON, Barbara (1992), «A Constitution for English Canada», dans Daniel Drache et Roberto Perin (dir.), *Negotiating With A Sovereign Quebec*, Toronto, Lorimer, p. 230-243.

CAMERON, Ducan (1994), «Foreword», dans The National Executive Council of the Parti Québécois, *Quebec in a New World*, Toronto, Lorimer, p. vii-xv.

CARDINAL, Linda (1995), «Les rapports entre francophonies canadienne et québécoise: de la communauté de destin à l'espace politique», *L'Action nationale*, vol. LXXXV, nº 2, février, p. 183-194.

CARDINAL, Linda et J.-Yvon THÉRIAULT (1992), «La francophonie canadienne et acadienne confrontée au défi québécois», dans Alain-G. Gagnon et François Rocher (dir.), *Répliques aux détracteurs de la souveraineté du Québec*, Montréal, VLB éditeur, p. 329-341.

CHANT, John F. (1992), «Dividing the debt: Avoiding the burden», dans Paul Boothe *et al.*, *Closing the Books. Dividing Federal Assets and Debt If Canada Breaks Up*, Toronto, C. D. Howe Institute, p. 84-91.

CLARKSON, Stephen (1995), «Poor prospects: The Rest of Canada under continental integration», dans Kenneth McRoberts (dir.), *Beyond Quebec. Taking Stock of Canada*, Montréal et Kingston, McGill-Queen's University Press, p. 251-274.

COLEMAN, William D. (1994), «Quebec nationalism, interest associations, and Canadian national integration», texte présenté à la conférence «Nationalism and self determination in multicultural societies», McMaster University, 2-4 mai, 15 p.

CONWAY, John F. (1994*a*), «Point-Counterpoint: "Laments for a Nation?"», *Journal of Canadian Studies*, vol. XXIX, nº 3, automne, p. 148-158.

— (1994*b*), «Québec and English Canada: The politics of territory», *Constitutional Forum Constitutionnel*, Centre for Constitutional Studies, University of Alberta, vol. VI, nº 1, automne, p. 19-23.

— (1995), *Des comptes à rendre*, trad. par Pierre R. Desrosiers, Montréal, VLB éditeur, 288 p.; paru en 1992 sous le titre *Debts to Pay. English Canada and Quebec from the Conquest to the Referendum* (Toronto, Lorimer, 240 p.).

COOK, Ramsay (1994), «Nations de citoyens et sociétés distinctes», *Cité libre*, vol. XXII, nº 6, novembre-décembre, p. 5-10.

COON-COME, Matthew (1995), «Des partenaires consentants: les Cris de la Baie-James, la sécession du Québec et le Canada», dans *Pour l'amour de ce pays*, Toronto, Penguin Books, p. 105-122.

CÔTÉ, Marcel (1995), *Le rêve de la Terre promise. Les coûts de l'indépendance*, Montréal, Stanké, 266 p.

COURCHENE, Thomas J. (1991*a*), *In Praise of Renewed Federalism*, Toronto, C. D. Howe Institute, 97 p.

— (1991*b*), *The Community of the Canadas*, Kingston, Institute of Intergovernmental Relations, 32 p.

— (1995), «Staatsnation vs Kulturnation: The future of English Canada», dans Kenneth McRoberts (dir.), *Beyond Quebec. Taking Stock of Canada*, Montréal et Kingston, McGill-Queen's University Press, p. 388-398.

COVELL, Maureen (1992), *Thinking About the Rest of Canada: Options for Canada Without Quebec*, North York (Ont.), York Center for Public Law and Public Policy, 43 p.

CRITCHLEY, Harriet (1991), «North American Dimension», dans Alex Morisson (dir.), *The Canadian Strategic Forecast 1992. Divided We Fall: The National Security Implications of Canadian Constitutional Issues*, Toronto, Canadian Institute of Strategic Studies, p. 41-51.

DEN HERTOG, Johanna (1991), «Reconcilling our origins, facing our future», dans J. L. Granastein et Kenneth McNaught (dir.), *"English Canada" Speaks Out*, Toronto, Doubleday Canada, p. 221-232.

DENIS, Serge (1992), *Le long malentendu. Le Québec vu par les intellectuels progressites au Canada anglais, 1970-1991*, Montréal, Boréal, 201 p.

DRACHE, Daniel et Roberto PERIN (dir.) (1992), *Negotiating with a Sovereign Quebec*, Toronto, Lorimer, 296 p.

FALLIS, George (1992), *Le prix du changement constitutionnel. Un guide du citoyen*, Toronto, Lorimer, 65 p.

FINBOW, Robert (1995), «Atlantic Canada: Forgotten periphery in an endangered Confederation?», dans Kenneth McRoberts (dir.), *Beyond Quebec. Taking Stock of Canada*, Montréal et Kingston, McGill-Queen's University Press, p. 61-80.

FINKELSTEIN, Neil et George VEGH (1992), *The Separation of Quebec and the Constitution of Canada*, North York (Ont.), York Center for Public Law and Public Policy, 68 p.

FLANAGAN, Thomas (1994), «Discussant's comment», dans F. Leslie Seidle (dir.), *Seeking a New Canadian Partnership. Asymmetrical and Confederal Options*, Montréal, Institute for Research on Public Policy, p. 91-93.

FREEMAN, Alan et Patrick GRADY (1995), *Dividing the House. Planning For a Canada Without Quebec*, Toronto, Harper Collins, 257 p.

FREISEN, Gerald (1991), «Cardinal points on a Prairie compass», dans J. L. Granastein et Kenneth McNaught (dir.), *"English Canada" Speaks Out*, Toronto, Doubleday Canada, p. 213-220.

GERBER, Linda M. (1992), «Referendum results: Defining new boundaries for an independent Quebec», *Canadian Ethnic Studies*, vol. XXIV, n° 2, p. 22-34.

GIBBINS, Roger (1991), «Three scenarios of the future of Canada», dans Alex Morisson (dir.), *The Canadian Strategic Forecast 1992. Divided We Fall: The National Security Implications of Canadian Constitutional Issues*, Toronto, Canadian Institute of Strategic Studies, p. 7-25.

— (1993), «Speculations on a Canada without Quebec», dans Kenneth McRoberts et Patrick J. Monahan (dir.), *The Charlottetown Accord, the Referendum and the Future of Canada*, Toronto, University of Toronto Press, p. 264-273.

GIBSON, Gordon (1994*a*), *Plan B. The Future of the Rest of Canada*, Vancouver, The Fraser Institute, 217 p.

— (1994*b*), «Finding a better way for Canada», *Fraser Forum*, octobre, p. 5-14.

— (1995), «In cold or hot blood? A response to the C. D. Howe forecast of the post-referendum world», *Fraser Forum*, février, p. 5-20.

GRADY, Patrick (1991*a*), *The Economic Consequences of Quebec Sovereignty*, Vancouver, The Fraser Institute, 168 p.

— (1991*b*), «The financial and economic dimension», dans Alex Morisson (dir.), *The Canadian Strategic Forecast 1992. Divided We Fall: The National Security Implications of Canadian Constitutional Issues*, Toronto, Canadian Institute of Strategic Studies, p. 117-130.

GRANASTEIN, J. L. et Kenneth MCNAUGHT (dir.) (1991), *"English Canada" Speaks Out*, Toronto, Doubleday Canada, 390 p.

GRANT, John (1991), «A comment», dans David E. W. Laidler et William B. P. Robson (dir.), *Two Nations, One Money? Canada's Monetary System Following a Quebec Secession*, Toronto, C. D. Howe Institute, p. 57-63.

HALSTEAD, John (1991), «The international diplomatic reaction», dans Alex Morisson (dir.), *The Canadian Strategic Forecast 1992. Divided We Fall: The National Security Implications of Canadian Constitutional Issues*, Toronto, Canadian Institute of Strategic Studies, p. 131-137.

HARTT, Stanley H. (1992), «Sovereignty and the economic union», dans Stanley H. Hartt *et al.*, *Tangled Web. Legal Aspects of Deconfederation*, Toronto, C. D. Howe Institute, p. 3-30.

— (1995), «Conflits d'appartenances: la double citoyenneté et la réorganisation de l'union économique», Toronto, Institut C. D. Howe, n° 67, mars, 16 p.

HASLAM, Gerald (1995), «Au revoir, Quebec», *B.C. Business*, vol. XXIII, avril, p. 20-22, 24, 26.

HAYDON, Peter (1991), «General security analysis of the scenarios», dans Alex Morisson (dir.), *The Canadian Strategic Forecast 1992. Divided We Fall: The National Security Implications of Canadian Constitutional Issues*, Toronto, Canadian Institute of Strategic Studies, p. 27-37.

HOLLOWAY, Steven K. (1992), «Canada without Quebec», *Orbis. A Journal of World Affairs*, vol. XXXVI, n° 4, automne, p. 531-543.

HURTIG, Mel (1992), *The Betrayal of Canada*, 2e éd., Toronto, Stoddart, 402 p.

IGNATIEFF, Michael (1993), *Blood and Belonging. Journeys Into The New Nationalism*, Toronto, Viking, 201 p.

IP, Irene K. et William P. ROBSON (1992), «Liquidating the federal balance sheet: Some additional modest proposals», dans Paul Boothe *et al.*, *Closing the Books. Dividing Federal Assets and Debt If Canada Breaks Up*, Toronto, C. D. Howe Institute, p. 69-83.

JACOBS, Jane (1991), «Quebec will be separate», dans Knowlton Nash (dir.), *Visions of Canada*, Toronto, McClelland and Stewart, p. 60-67.

JENKINSON, Michael (1994), «Three ways to block Quebec's exit», *Alberta Report*, vol. XXII, 19 décembre, p. 16-17.

KENT, Tom (1991), «Recasting federalism», *Policy Options*, avril, p. 3-6.

LAIDLER, David E. W. et William B. P. ROBSON (dir.) (1991), *Two Nations, One Money? Canada's Monetary System Following a Quebec Secession*, Toronto, C. D. Howe Institute, 88 p.

LEMCO, Jonathan (1992), *Turmoil in the Peaceable Kingdom: The Quebec Sovereignty Movement and Its Implications for Canada and the United States*, Washington (D.C.), National Planning Association, coll. «Canada-U.S. Outlook», 178 p. (Réédité en 1994 par University of Toronto Press.)

LESLIE, Peter M. (1993), «The fiscal crisis of Canadian federalism», dans Peter M. Leslie *et al.*, *A Partnership in Trouble. Renegotiating Fiscal Federalism*, Toronto, C. D. Howe Institute, p. 1-86.

— (1994), «Asymmetry: Rejected, conceded, imposed», dans F. Leslie Seidle (dir.), *Seeking a New Canadian Partnership. Asymmetrical and Confederal Options*, Montréal, Institute for Research on Public Policy, p. 37-69.

LIPSEY, Richard (1991), «Comments on the Bélanger-Campeau Commission's papers on trade relations», dans Gordon Ritchie *et al.*, *Broken Links. Trade Relations after a Quebec Secession*, Toronto, C. D. Howe Institute, p. 58-69.

MARTIN, Pierre (1995), «Association After Sovereingty? Canadian Views on Economic Association with a Sovereign Quebec», *Analyse de politiques*, vol. XXI, n°. 1, mars, p. 53-71.

MCCALLUM, John (1992*a*), «The Canadian economic union after breakup», *Inroads*, n° 1, automne, p. 68-79.

— (1992*b*), «An economic union or a free trade agreement: What difference does it make?», dans Stanley H. Hartt *et al.*, *Tangled Web. Legal Aspects of Deconfederation*, Toronto, C. D. Howe Institute, p. 54-59.

MCMILLAN, Melville (1995), «Threats to unity from within and without», dans Kenneth McRoberts (dir.), *Beyond Quebec. Taking Stock of Canada*, Montréal et Kingston, McGill-Queen's University Press, p. 275-294.

MCMILLAN, Melville, Ken NORRIE et Brad REID (1994), «Canada and Québec in a new world: The PQ's economic proposals», *Constitutional Forum Constitutionnel*, Centre for Constitutional Studies, University of Alberta, vol. VI, n° 1, automne, p. 11-18.

MCNAUGHT, Kenneth (1991), «A ghost at the banquet: Could Quebec secede peacefully?», dans J. L. Granastein et Kenneth McNaught (dir.), *"English Canada" Speaks Out*, Toronto, Doubleday Canada, p. 80-93.

MCNEIL, Kent (1992), «Aboriginal nations and Québec's boundaries: Canada couldn't give what it didn't have», dans Daniel Drache et Roberto Perin (dir.), *Negotiating With A Sovereign Quebec*, Toronto, Lorimer, p. 107-123.

McRoberts, Kenneth (1995), «After the referendum: Canada with or without Quebec», dans Kenneth McRoberts (dir.), *Beyond Quebec. Taking Stock of Canada*, Montréal et Kingston, McGill-Queen's University Press, p. 403-432.

McRoberts, Kenneth (dir.) (1995), *Beyond Quebec. Taking Stock of Canada*, Montréal et Kingston, McGill-Queen's University Press, 435 p.

Miller, Mary Jane (1995), «Will English-language television remain distinctive? Probably», dans Kenneth McRoberts (dir.), *Beyond Quebec. Taking Stock of Canada*, Montréal et Kingston, McGill-Queen's University Press, p. 182-201.

Monahan, Patrick J. (1995), «Les têtes froides l'emporteront», *Commentaire*, Institut C. D. Howe, n° 65, janvier, 40 p.

Morisson, Alex (1991), «Introductory Essay», dans Alex Morisson (dir.) *The Canadian Strategic Forecast 1992. Divided We Fall: The National Security Implications of Canadian Constitutional Issues*, Toronto, Canadian Institute of Strategic Studies, p. vii-ix.

Moriyama, Raymond (1991), «Maybe unification... after separation», dans Knowlton Nash (dir.), *Visions of Canada*, Toronto, McClelland and Stewart, p. 90-95.

Morton, Desmond (1991), «The Canadian security dimension», dans Alex Morisson (dir.), *The Canadian Strategic Forecast 1992. Divided We Fall: The National Security Implications of Canadian Constitutional Issues*, Toronto, Canadian Institute of Strategic Studies, p. 69-75.

— (1992), «Reflections on the breakup of Canada, conflict and self-determination», dans Stanley H. Hartt *et al.*, *Tangled Web. Legal Aspects of Deconfederation*, Toronto, C. D. Howe Institute, p. 86-98.

Morton, F. L. (1995), «The Charter and Canada outside Quebec», dans Kenneth McRoberts (dir.), *Beyond Quebec. Taking Stock of Canada*, Montréal et Kingston, McGill-Queen's University Press, p. 93-114.

Nash, Knowlton (dir.) (1991), *Visions of Canada*, Toronto, McClelland and Stewart, 304 p.

Nelles, H. V. (1995), «Ontario "carries on"», dans Kenneth McRoberts (dir.), *Beyond Quebec. Taking Stock of Canada*,

Montréal et Kingston, McGill-Queen's University Press, p. 31-44.

NEWMAN, Peter C. (1995), «Les dangers de l'inaction», dans *Pour l'amour de ce pays*, Toronto, Penguin Books, p. 55-67.

PATTISON, Jim (1991), «People are resigned to Quebec leaving», dans Knowlton Nash (dir.), *Visions of Canada*, Toronto, McClelland and Stewart, p. 75-79.

PHILPOT, Robin (1991), *Oka: dernier alibi du Canada anglais*, Montréal, VLB éditeur, 175 p.

PRITCHARD, Robert (1991), «I think we will stay a single country», dans Knowlton Nash (dir.), *Visions of Canada*, Toronto, McClelland and Stewart, p. 284-288.

REID, Scott (1992), *Canada Remapped. How Partition of Québec will Reshape the Nation*, Vancouver, Pulp Press, 184 p.

RESNICK, Philip (1991), *Toward a Canada-Quebec Union*, Kingston et Montréal, McGill-Queen's University Press, 119 p.

— (1992), «Dividing in two: A test for reason and emotion», dans Daniel Drache et Roberto Perin (dir.), *Negotiating with A Sovereign Quebec*, Toronto, Lorimer, p. 82-90.

— (1994), *Thinking English Canada*, Toronto, Stoddart, 129 p.

RICHARDSON, Robin (1994), *The Public Debt of an Independent Quebec*, Vancouver, Fraser Institute, série «Fraser Forum Critical Issues Bulletin», 41 p.

— (1995), «"L'addition s'il vous plaît": Calculating and paying off Quebec's separation obligation to Canada», *Fraser Forum*, mai, p. 5-13.

RITCHIE, Gordon (1991), «Putting Humpty Dumpty together again: Free trade, the breakup scenario», dans Gordon Ritchie *et al.*, *Broken Links. Trade Relations after a Quebec Secession*, Toronto, C. D. Howe Institute, p. 1-19.

RITCHIE, Gordon *et al.* (1991), *Broken Links. Trade Relations after a Quebec Secession*, Toronto, C. D. Howe Institute, 88 p.

ROBERTSON, Ian Ross (1991), «The Atlantic Provinces and the territorial question», dans J. L. Granastein et Kenneth McNaught (dir.), *"English Canada" Speaks Out*, Toronto, Doubleday Canada, p. 162-171.

ROBSON, William B. P. (1995), «Change for a buck? The Canadian dollar after Quebec secession», *Commentary*, C. D. Howe Institute, nº 68, mars, 20 p.

ROCHER, François (1995), «L'environnement commercial d'un Québec souverain», *Choix, série Québec-Canada*, Institut de recherche en politiques publiques, vol. I, nº 6, p. 21-47.

RUSSELL, Peter H. (1993), *Constitutional Odyssey. Can Canadians Become a Sovereign People?*, Toronto, University of Toronto Press, 307 p.

SALUTIN, Rick (1991), «Adieu Quebec», *Saturday Night*, mars, p. 6.

SAMUEL, T. John (1994), *Quebec Separatism is Dead. Demography is Destiny*, Ottawa, John Samuel & Associates Inc., 83 p.

SCHWANEN, Daniel (1995), «Séparation et réconciliation: les relations commerciales qui suivraient la souveraineté du Québec», *Commentaire*, Institut C. D. Howe, nº 69, mars, p. 1-18.

SIMPSON, Jeffrey (1990-1991), «The two Canadas», *Foreign Policy*, vol. LXXXI, hiver, p. 71-86.

—— (1993), *Faultlines. Struggling for a Canadian Vision*, Toronto, Harper Collins, 386 p.

SWAINSON, Donald (1991), «Ontario and deconfederation of Canada», dans J. L. Granastein et Kenneth McNaught (dir.), *"English Canada" Speaks Out*, Toronto, Doubleday Canada, p. 202-220.

THOMPSON, John (1991), «Unsetting thoughts: The security implications of an independent Quebec», dans Alex Morisson (dir.), *The Canadian Strategic Forecast 1992. Divided We Fall: The National Security Implications of Canadian Constitutional Issues*, Toronto, Canadian Institute of Strategic Studies, p. 209-215.

TURPEL, Mary Ellen (1992), «Does the road to Québec sovereignty run through aboriginal territory?», dans Daniel Drache et Roberto Perin (dir.), *Negotiating With A Sovereign Quebec*, Toronto, Lorimer, p. 93-106.

USHER, Dan (1995), «The interests of English Canada», *Canadian Public Policy*, vol. XXI, nº 1, mars p. 72-106.

VARTY, David L. (1991), *Who Gets Ungava?*, Vancouver, Varty & Company, 104 p.

WALKER, R. B. J. (1994), «The more things change: Sovereignty, Quebec, and the new world», *Constitutional Forum Constitutionnel*, Centre for Constitutional Studies, University of Alberta, vol. VI, nº 1, automne, p. 34-38.

WALKOM, Thomas (1991), «Pros and cons of separation», dans J. L. Granastein et Kenneth McNaught (dir.), *"English Canada" Speaks Out*, Toronto, Doubleday Canada, p. 362-373.

WEBSTER, Jack (1991), «Anything is better than outright separation», dans Knowlton Nash (dir.), *Visions of Canada*, Toronto, McClelland and Stewart, p. 236-239.

WESTELL, Anthony (1994), *Reinventing Canada*, Toronto, Dundurn, 96 p.

WHITAKER, Reg (1991), «With or without Quebec?», dans J. L. Granastein et Kenneth McNaught (dir.), *"English Canada" Speaks Out*, Toronto, Doubleday Canada, p. 17-29.

—— (1992), «Life after separation», dans Daniel Drache et Roberto Perin (dir.), *Negotiating With A Sovereign Quebec*, Toronto, Lorimer, p. 71-81.

—— (1995), «Quebec's self-determination and aboriginal self-government: Conflict of reconciliation?», dans Joseph H. Carens (dir.), *Is Quebec Nationalism Just?*, Montréal et Kingston, McGill-Queen's University Press, p. 193-220.

WHITE, Bob (1995), «Une perspective de syndicaliste: démocratie et solidarité», dans *Pour l'amour de ce pays*, Toronto, Penguin Books, p. 131-138.

WILLIAMS, Sharon (1992), *International Legal Effects of Secession by Quebec*, North York (Ont.), York Center for Public Law and Public Policy, 48 p.

WONNACOTT, Ronald J. (1991), «Reconstructing North American free trade following Quebec's separation: What can be assumed?», dans Gordon Ritchie *et al.*, *Broken Links. Trade Relations after a Quebec Secession*, Toronto, C. D. Howe Institute, p. 20-44.

YOUNG, Robert A. (1992*a*), «Does globalization make an independent Quebec more viable?», dans A. R. Riggs et Tom Velk (dir.), *Federalism In Peril. Will Canada Survive?*, Vancouver, The Fraser Institute, p. 121-134.

—— (1992*b*), «Le Canada hors Québec voudra-t-il coopérer avec un Québec souverain?», dans Alain-G. Gagnon et François Rocher, *Répliques aux détracteurs de la souveraineté du Québec*, Montréal, VLB éditeur, p. 392-407.

—— (1995), *La sécession du Québec et l'avenir du Canada*, Québec, Presses de l'Université Laval, 291 p.

Who's Who au Canada anglais

ALDERMAN, Howard. Professeur de philosophie à l'Université York, North York, Ontario; 57, 61.

ALLEN, Richard. Économiste en chef à la B. C. Central Credit Union; 135.

ATKINSON, Lloyd C. Ancien vice-président exécutif et économiste en chef de la Banque de Montréal, actuellement chez MTA Investment Counsel, à Toronto; 87, 144.

BANTING, Keith G. Professeur d'études politiques et d'administration publique à l'Université Queen's, Kingston, Ontario; 138, 145, 147.

BASHEVKIN, Sylvia. Professeure de science politique à l'Université de Toronto, Ontario; 147.

BEHBOODI, Rob. Professeur de droit à l'Université de Toronto, Ontario; 126.

BEHIELS, Michael D. Professeur d'histoire à l'Université d'Ottawa, Ontario; 19, 97.

BERCUSON, David J. Professeur d'histoire à l'Université de Calgary, Alberta; 36, 37, 47, 52, 68, 78, 80, 88, 140, 148, 153, 156.

BERGER, Thomas R. Avocat de Vancouver, ex-politicien, ex-juge et ex-président d'une commission royale d'enquête; 56, 94, 141.

BLACK, Conrad. Magnat torontois de la presse, propriétaire du groupe Hollinger et de la chaîne de journaux Unimédia; 108, 145, 156.

BLAKENEY, Allan. Ancien premier ministre de la Saskatchewan (1971-1982), professeur d'histoire à l'Université de Saskatoon, Saskatchewan; 66.

BLAND, Douglas. Expert militaire indépendant, associé au Centre des relations internationales de l'Université Queen's, Kingston, Ontario; 114.

BLISS, Michael. Professeur d'histoire à l'Université de Toronto, Ontario; 43, 52, 54, 63, 72, 76, 94, 96, 100, 148, 155.

BOOTHE, Paul. Professeur adjoint de science économique à l'Université de l'Alberta, Edmonton; 124, 145.

BORSTEIN, Steven. Ancien représentant de l'Ontario auprès du gouvernement du Québec; 101.

BOTHWELL, Robert. Professeur d'histoire à l'Université de Toronto, Ontario; 76.

BRENNAN, Richard. Correspondant du *Windsor Star* à l'assemblée législative de l'Ontario; 34.

BROADBENT, Ed. Ancien chef du Nouveau Parti démocratique du Canada et actuel directeur du Centre canadien des droits de l'homme et du développement démocratique à Montréal; 93.

BROWN, Douglas M. Directeur exécutif de l'Institut des relations intergouvernementales de l'Université Queen's, Kingston, Ontario; 34, 56, 81, 90, 95, 125, 155.

BRYM, Robert J. Professeur de sociologie à l'Université de Toronto, Ontario; 140.

BUTEUX, Paul. Professeur au département d'études politiques et directeur du Programme d'études stratégiques, Université du Manitoba, Winnipeg; 116.

BYFIELD, Ted. Propriétaire et fondateur des magazines *Western Report*, *Alberta Report* et *B. C. Report*; 41, 138.

CAIRNS, Alan C. Professeur d'études politiques à l'Université de la Colombie-Britannique, Vancouver; 97, 99, 100, 155.

CAMERON, Barbara. Professeure de science politique au Atkinson College de l'Université York, North York, Ontario; 147.

CAMERON, David. Professeur de science politique à l'Université de Toronto, Ontario; 46.

CAMERON, Duncan. Professeur de science politique à l'Université d'Ottawa et rédacteur en chef à la revue *Canadian Forum*; 28.

CAMP, Dalton. Commentateur politique, chroniqueur au *Toronto Star* et ancien conseiller au Parti conservateur; 49, 54, 82.

CAMPBELL, Kim. Ancienne première ministre du Canada et professeure invitée au Kennedy School of Government, Harvard University, Cambridge (Mass.); 49.

CARDINAL, Linda. Professeure de science politique à l'Université d'Ottawa, Ontario; 57, 143.

CAUGHHILL, Lorne. Ex-président de Commitment Canada pour l'Ontario; 36.

CHAMBERS, Allan. Éditorialiste au *Edmonton Journal*; 29.

CHANT, John F. Professeur de science économique à l'Univer-

STOCKLAND, Peter. Rédacteur en chef au *Calgary Sun*; 71.

SWAINSON, Donald. Professeur d'histoire à l'Université Queen's, Kingston, Ontario; 142.

TAYLOR, Allan R. Président du conseil et chef de la direction de la Banque Royale du Canada; 21.

THÉRIAULT, J.-Yvon. Professeur de sociologie à l'Université d'Ottawa, Ontario; 143.

THIESSEN, Gordon. Gouverneur de la Banque du Canada; 129.

THOMPSON, John. Directeur adjoint de l'Institut Mackenzie, Toronto; 115.

THORSELL, William. Rédacteur en chef au *Globe and Mail*, Toronto; 30, 60.

TOULIN, Alan. Chef du bureau d'Ottawa du *Financial Post* de Toronto; 49.

TREBILCOCK, Michael. Professeur de droit à l'Université de Toronto, Ontario; 126.

TRUDEAU, Pierre Elliott. Premier ministre du Canada de 1968 à 1979 et de 1980 à 1984; 82.

TURPEL, Mary Ellen. Professeure de droit à l'Université Dalhousie, Halifax, Nouvelle-Écosse, et conseillère de l'Assemblée des Premières Nations; 64, 70, 155.

USHER, Dan. Professeur de science économique à l'Université Queen's, Kingston, Ontario; 37, 139.

VARTY, David L. Avocat et directeur de la section de droit constitutionnel de la division de la Colombie-Britannique de l'Association du Barreau canadien; 68, 153.

VEGH, George. Avocat chez Blake, Cassels & Gradon, à Toronto; 50, 52, 55, 61, 97, 105, 133.

WALKER, Michael. Directeur de l'Institut Fraser de Vancouver, Colombie-Britannique; 37.

WALKER, R. B. J. Professeur au département de science politique à l'Université de Victoria, Colombie-Britannique; 47.

WALKOM, Thomas. Correspondant du *Toronto Sun* à l'assemblée législative de l'Ontario; 42, 47, 60, 100, 116.

WATTS, Ronald L. Ex-directeur de l'Institut des relations intergouvernementales de l'Université Queen's, Kingston, Ontario, et ex-conseiller constitutionnel du cabinet Mulroney; 146.

WEBSTER, Jack. Journaliste d'origine écossaise, chroniqueur et animateur de tribunes téléphoniques en Colombie-Britannique; 104.

WESTELL, Anthony. Journaliste émérite, notamment au *Globe and Mail* et au *Toronto Star*; 76.

WHITAKER, Reg. Professeur de science politique à l'Université

Chronologie politique (1990-1995)

1990

27 janvier:	Le Parti libéral du Canada — section Ontario — recommande le rejet de l'accord du lac Meech.
29 janvier:	Ramon Hnatyshyn devient le 24e gouverneur général du Canada. À Bonn, en Allemagne, Robert Bourassa dit qu'une «superstructure» devrait être envisagée en cas d'échec de l'accord du lac Meech.
12 février:	Philip Edmonston devient le premier député du Nouveau Parti démocratique élu au Québec.
23 février:	À la suite d'un remaniement ministériel touchant 15 ministres à Ottawa, Kim Campbell devient ministre de la Justice et procureur général et Lucien Bouchard, ministre de l'Environnement.
11 mars:	Le parlement de Vinius proclame l'indépendance de la Lithuanie, ex-république soviétique.
20 mars:	Lors du lancement du livre *Les années Trudeau*, l'ancien premier ministre du Canada déclare que ce ne serait pas un drame si le Québec se séparait du Canada.
21 mars:	Le premier ministre du Nouveau-Brunswick, Frank McKenna, lui-même responsable de la

mauvaise réputation de l'accord du lac Meech, propose des ajouts à l'entente dans le but d'entraîner l'adhésion des provinces récalcitrantes, le Manitoba et Terre-Neuve.

22 mars: Clyde Wells, premier ministre de Terre-Neuve, dépose devant la législature de St. John's une résolution retirant l'appui de sa province à l'accord du lac Meech.

23 mars: Mise sur pied par Ottawa du comité Charest chargé d'étudier les propositions du Nouveau-Brunswick.

26 mars: Un sondage Crop-*La Presse* montre que 56 % des Québécois sont en faveur de la souveraineté, mais que 53 % s'opposent à la séparation.

30 mars: L'Estonie proclame à son tour son indépendance.

2 avril: L'ex-premier ministre du Manitoba, Howard Pawley, révèle qu'il n'endosse plus l'accord du lac Meech qu'il avait signé en 1987.

4 avril: L'Assemblée nationale fait savoir qu'elle refusera toute modification à l'accord du lac Meech.

6 avril: À l'instigation du premier ministre Clyde Wells, l'assemblée législative de Terre-Neuve adopte la motion annulant la ratification de l'accord du lac Meech par cette province. Le ministre Lucien Bouchard déclare que le Canada devra bientôt choisir entre le Québec et Terre-Neuve.

10 avril: Au Skydome de Toronto, on hue la partie française de l'hymne national du Canada, en présence du président américain George Bush et du premier ministre Brian Mulroney.

22 avril: Un candidat au leadership du Parti libéral du Canada, le député John Nunziata, accuse les séparatistes d'être des traîtres.

4 mai: La Lettonie devient à son tour une république indépendante.

17 mai: Les trois partis fédéraux (libéral, conservateur et NPD) approuvent le rapport Charest qui propose 23 ajouts à l'accord du lac Meech.

18 mai: Le député conservateur François Gérin quitte le caucus de son parti afin de faire la promotion de la souveraineté-association.

22 mai: Lucien Bouchard démissionne du cabinet et du caucus du Parti conservateur au pouvoir à Ottawa, le lendemain de l'envoi d'un télégramme au Parti Québécois à l'occasion du dixième anniversaire du référendum. Il déclarera par la suite que l'avenir des Québécois passe par la souveraineté.

26-27 mai: Les premiers ministres Filmon du Manitoba et Wells de Terre-Neuve affirment que les compromis devront venir du Québec.

28 mai: L'Institut Fraser de Vancouver publie une étude révélant que chaque Québécois reçoit un bénéfice net de 301 $ par année d'Ottawa.

31 mai: Les premiers ministres du Canada sont convoqués à une réunion pour sauver l'accord du lac Meech.

2 juin: Le Conseil du patronat du Québec prévient que l'indépendance du Québec pourrait survenir si l'accord n'est pas entériné avant la fin du délai prescrit, le 23 juin.

3-9 juin: Après plusieurs jours de discussion, les premiers ministres canadiens adoptent de nouveau l'accord du lac Meech, accompagné d'annexes à portée juridique douteuse. Le tout sera présenté devant les législatures des provinces du Manitoba et de Terre-Neuve.

12 juin: Le député néo-démocrate Elijah Harper refuse la suspension des règles de procédure habituelles et empêche ainsi la ratification rapide de l'accord par la législature du Manitoba.

13 juin: Jean Chrétien refuse d'appuyer le nouvel accord entre les provinces.

20 juin: 57 % des Québécois sont favorables à la souveraineté du Québec. Début du débat sur l'accord du lac Meech à la législature du Manitoba.

22 juin: Le premier ministre manitobain Gary Filmon refuse de prendre des mesures exceptionnelles

pour procéder à la ratification de l'accord du lac Meech. À Terre-Neuve, Clyde Wells ne le soumettra pas au vote des députés.

23 juin: Élection de Jean Chrétien à la tête du Parti libéral du Canada. Les divisions conséquentes à l'affaire Meech apparaissent: Jean Lapierre et Gilles Rocheleau quittent le parti.
Robert Bourassa annonce la création d'une commission non partisane sur l'avenir du Québec, affirme qu'il n'ira plus jamais négocier à 11 autour de la table constitutionnelle et déclare que: «Quoi qu'on dise et quoi qu'on fasse, le Québec est aujourd'hui et pour toujours une société distincte, libre et capable d'assumer son destin et son développement.»

25 juin: Dans le cadre des festivités de la Saint-Jean, le comédien Jean Duceppe lance: «Le Québec est notre seul pays.»

26 juin: Démission des députés conservateurs Louis Plamondon, Benoît Tremblay et Nic Leblanc.

29 juin: Robert Bourassa et Jacques Parizeau s'entendent pour former une commission parlementaire élargie sur l'avenir politique et constitutionnel du Québec. À Calgary, la reine Élisabeth s'inquiète de l'avenir du Canada.

3 juillet: Lucien Bouchard accepte de participer à la future commission sur l'avenir du Québec.

10 juillet: Robert Bourassa et Jacques Parizeau s'entendent sur les modalités concernant la mise sur pied de la Commission sur l'avenir du Québec, mais restent divisés sur le choix de son président. Début de la crise d'Oka: raid de la Sûreté du Québec contre les barricades des Mohawks d'Oka et mort du caporal Marcel Lemay.

14 juillet: Un sondage Crop-*La Presse* révèle que les Québécois appuient les Mohawks et considèrent Ottawa comme responsable du conflit.

25 juillet: Lucien Bouchard annonce la formation d'un groupe parlementaire nommé «Bloc Québécois».

20 juillet: Le premier ministre David Peterson annonce la tenue d'élections provinciales en Ontario le 6 septembre.

5 août: Robert Bourassa laisse 48 heures aux Mohawks pour qu'ils démantèlent leurs barricades.

7 août: Le premier ministre Gary Filmon annonce la tenue, le 11 septembre, d'élections provinciales au Manitoba.

8 août: Le gouvernement Bourassa demande l'intervention de l'armée canadienne dans la crise d'Oka.

11 août: Les jeunes libéraux du Québec adoptent une résolution réclamant la pleine autonomie du Québec.

22 août: Michel Bélanger et Jean Campeau seront coprésidents de la Commission sur l'avenir politique et constitutionnel du Québec.

13 août: Élection de Gilles Duceppe, premier député élu sous la bannière du Bloc Québécois.

14 août: Déploiement de 2600 militaires de l'armée canadienne dans la région de Montréal.

19 août: Neuf cents soldats prennent position près des barricades mohawks de Kahnawake et de Kanesatake.

25 août: Un nouveau sondage démontre l'effritement de l'appui populaire aux Mohawks.

30 août: Démantèlement des barricades à Kahnawake, avec la collaboration des Mohawks.

4 septembre: Création de la Commission sur l'avenir politique et constitutionnel du Québec (commission Bélanger-Campeau).

5 septembre: Ouverture du pont Mercier à la circulation automobile.

6 septembre: Élection en Ontario du Nouveau Parti démocratique de Bob Rae, qui défait le Parti libéral de David Peterson.

11 septembre: Réélection au Manitoba du Parti conservateur de Gary Filmon, qui formera dorénavant un gouvernement majoritaire.

12 septembre: Démission du ministre québécois du Revenu, Yves Séguin.

24 septembre: Le chef libéral fédéral Jean Chrétien annonce qu'il sera candidat dans une élection partielle au Nouveau-Brunswick.

26 septembre: Fin de la crise d'Oka quand les derniers occupants des barricades se rendent, dans la confusion.

22 octobre: Le ministre fédéral des Finances admet que le Canada entre dans une récession.

1er novembre: Keith Spicer est nommé à la tête du Forum des citoyens sur l'avenir du Canada (commission Spicer).

3 novembre: Brian Mulroney évoque une catastrophe économique en cas de souveraineté du Québec.

6 novembre: Discours d'ouverture de Robert Bourassa à la commission Bélanger-Campeau: c'est la fin du Canada à 11, dit-il.

7 novembre: Premières audiences de la commission Bélanger-Campeau. La Chambre de commerce du Québec affirme qu'une monnaie québécoise serait viable.

26 novembre: L'indépendance du Québec recueille l'appui de 58 % des répondants dans un sondage Environics réalisé pour *La Presse*, le *Toronto Star* et le réseau CTV.

10 décembre: Jean Chrétien remporte l'élection partielle dans la circonscription de Beauséjour, au Nouveau-Brunswick.

12 décembre: Devant la commission Bélanger-Campeau, le professeur Léon Dion recommande au gouvernement Bourassa la stratégie du «couteau sur la gorge»: proposer un nouveau fédéralisme tout en menaçant de faire un référendum sur la souveraineté.

La presse anglophone décerne le titre de Canadien de l'année au député anti-Meech Elijah Harper.

17 décembre: Devant la commission Bélanger-Campeau, Jean Chrétien affirme que ce sont les gagne-petit qui souffriraient de la souveraineté du Québec, et que celle-ci ne profiterait qu'à 2000 bourgeois.

30 décembre: Brian Mulroney assure que le Canada refusera de négocier avec un Québec souverain.

1991

15 janvier: Le Canada entre en guerre contre l'Irak.
Jean Chrétien fait son entrée comme chef de l'opposition à la Chambre des communes.

29 janvier: Publication du rapport du Comité constitutionnel du Parti libéral du Québec (rapport Allaire): le Québec devrait obtenir la compétence exclusive dans 22 domaines.

30 janvier: Mise sur pied par Ottawa de la commission Beaudoin-Edwards sur le processus de modification de la Constitution canadienne.

5 février: Le gouvernement Mulroney s'engage à entreprendre des négociations en vue d'un accord de libre-échange Canada–États-Unis–Mexique.

9 février: Quatre-vingt-onze pour cent des Lithuaniens appuient la proclamation d'indépendance de leur pays.

19 février: Fin des travaux de la commission Bélanger-Campeau.

22 février: Lucien Bouchard annonce que le Bloc Québécois présentera des candidats dans toutes les circonscriptions québécoises aux prochaines élections fédérales.

3 mars: Les Lettons et les Estoniens votent en faveur de l'indépendance de leur pays au cours de référendums interdits par Moscou.

10 mars: Le congrès du Parti libéral du Québec adopte presque intégralement le rapport Allaire. Robert Bourassa affirme que «le Canada est notre premier choix».

17 mars: Dans son document d'orientation, le Parti Égalité prône le démembrement du Québec en cas de souveraineté.

20 mars: Robert Bourassa écarte la possibilité d'un référendum en 1991.

21 mars: Dépôt du rapport préliminaire de la commission Spicer, qui signale les réticences du Canada anglais à tout statut particulier pour le Québec.

25-26-27 mars: Adoption, dépôt et publicaton du rapport de la commission Bélanger-Campeau qui recommande un référendum sur la souveraineté avant la fin d'octobre 1992 si aucune offre acceptable n'est faite par le Canada anglais et la mise sur pied de deux commissions pour étudier la souveraineté et le fédéralisme renouvelé.

5 avril: Le premier ministre de la Saskatchewan, Grant Devine, affirme que le Québec paierait cher son indépendance.

12 avril: Claude Castonguay sera coprésident de la prochaine commission fédérale sur le renouvellement de la Constitution canadienne.

21 avril: L'ex-premier ministre Joe Clark est nommé ministre des Affaires constitutionnelles à la suite d'un important remaniement ministériel à Ottawa.

23 avril: Brian Mulroney annonce la création d'une commission royale d'enquête sur les questions autochtones.

24 avril: Le chef sortant de l'Assemblée des Premières Nations, George Erasmus, reconnaît s'être trompé en traitant les Québécois de racistes lors de la crise d'Oka.

5 mai: Jean Chrétien affirme que l'accord du Québec n'est pas nécessaire pour modifier la Constitution du Canada.

13 mai: À l'occasion du Discours du Trône, le gouvernement fédéral annonce qu'il déposera des offres constitutionnelles à l'automne.

15 mai: Dépôt du projet de loi 150 qui prévoit un référendum sur la souveraineté du Québec en juin ou en octobre 1992 et la mise sur pied de deux commissions parlementaires, l'une pour étudier la souveraineté du Québec, l'autre pour

étudier des «offres de partenariat de nature constitutionnelle».

19 mai: Les Croates votent majoritairement en faveur de l'indépendance.

12 juin: Ovide Mercredi est élu chef de l'Assemblée des Premières Nations.

15 juin: Congrès de fondation du Bloc Québécois à Tracy, auquel participent 900 militants souverainistes.

18 juin: Les jeunes libéraux demandent à Robert Bourassa d'avancer la date du référendum.

20 juin: Adoption de la loi 150 par l'Assemblée nationale.

Le comité Beaudoin-Edwards recommande un référendum consultatif sur ses propositions constitutionnelles.

Jean Pelletier, ex-maire de Québec, devient chef du cabinet de Jean Chrétien.

25 juin: Proclamation d'indépendance de la Croatie.

27 juin: Dépôt de la version finale du rapport Spicer qui reflète le désenchantement de la population canadienne vis-à-vis des politiciens et des médias.

Proclamation d'indépendance de la Slovénie.

20 juillet: Rita Johnson devient chef du Parti créditiste et succède à Rick Van Der Zalm comme première ministre de la Colombie-Britannique.

9 août: Réuni en congrès, le Parti conservateur du Canada adopte une résolution qui confirme le droit des Québécois et Québécoises à l'autodétermination.

12 août: Après avoir quitté le caucus conservateur fédéral, Pierrette Venne se joint au Bloc Québécois.

13 août: La première ministre Rita Johnson affirme que la Colombie-Britannique n'est pas prête à reconnaître le droit du Québec à l'autodétermination.

20 août: L'Estonie réitère sa proclamation d'indépendance.

21 août: La Lettonie réitère sa proclamation d'indépendance.

24 août: L'Ukraine proclame son indépendance.

25 août: Moscou annonce qu'il reconnaîtra l'indépendance des États baltes (Lithuatie, Estonie et Lettonie). C'est la fin de l'URSS.

26 août: Ottawa reconnaît les États baltes.

6 septembre: Moscou reconnaît officiellement les États baltes.

8 septembre: La Macédoine proclame son indépendance à l'endroit de la Yougoslavie.

19 septembre: Déclenchement d'élections provinciales en Colombie-Britannique, par la première ministre créditiste Rita Johnson.

20 septembre: La députée Dorothy Dobbie coprésidera avec Claude Castonguay le comité du Parlement fédéral sur le renouvellement du Canada.

21 septembre: L'Institut Fraser publie une étude qui montre qu'un Québec indépendant serait viable, mais que ce serait coûteux pour les Québécois.

23 septembre: Réélection du gouvernement libéral de Frank McKenna au Nouveau-Brunswick.

24 septembre: Dépôt des 28 propositions constituant les offres fédérales. Le document *Bâtir ensemble l'avenir du Canada* est très controversé.

28 septembre: Les trois quarts des Québécois se disent contre les offres fédérales, selon un sondage.

4 octobre: Pierre Elliott Trudeau affirme que la reconnaissance constitutionnelle du Québec comme société distincte lui donnerait le pouvoir de déporter des non-francophones.

8 octobre: Le parlement de Croatie confirme l'indépendance de l'ex-république yougoslave.

17 octobre: Victoire des néo-démocrates de Mike Harcourt en Colombie-Britannique. Les libéraux de Gordon Wilson forment l'opposition officielle.

21 octobre: Victoire des néo-démocrates de Roy Romanow en Saskatchewan. Les conservateurs sortants n'ont plus que 10 sièges.

22 octobre: Ovide Mercredi affirme que les autochtones n'ont pas les moyens d'être souverains.

29 octobre: Le Conseil économique du Canada affirme que le coût de la souveraineté-association serait relativement peu important, tant pour le Canada que pour le Québec.

5 novembre: Gil Rémillard qualifie d'inacceptables les offres du fédéral.

8 novembre: Débat Bourassa-Parizeau sur les offres du fédéral.

13 novembre: Joe Clark annonce la tenue de cinq conférences thématiques sur la réforme constitutionnelle réunissent des experts et des membres du grand public.

25 novembre: Le comité Castonguay-Dobbie perd Claude Castonguay, l'un de ses coprésidents.

26 novembre: Gérald Beaudoin devient coprésident du Comité constitutionnel du Parlement canadien.

1er décembre: Les Ukrainiens votent en faveur de l'indépendance de leur pays.

10 décembre: Devant le comité Beaudoin-Dobbie, Léon Dion se dit «fédéraliste fatigué».
À Maastricht en Hollande, les chefs d'État des pays de la Communauté européenne se mettent d'accord sur la création d'une union politique, économique et monétaire.

25 décembre: Ottawa accorde sa reconnaissance diplomatique à toutes les ex-républiques soviétiques qui font désormais partie de la Communauté des États indépendants (CEI).

1992

9 janvier: Don Getty, premier ministre de l'Alberta, préconise l'abandon du bilinguisme officiel au Canada.

17-19 janvier: Première de cinq conférences sur le «Renouvellement du Canada». On aborde la division des pouvoirs à Halifax, mais le Canada anglais exprime sa préférence pour un gouvernement central fort.

20 janvier: Pierre Bélanger, candidat du Parti Québécois, remporte l'élection partielle dans la circonscription d'Anjou.

24-26 janvier: Deuxième conférence sur la réforme du Sénat, à Calgary.

31 janvier-2 février: Troisième conférence sur l'union économique à Montréal.

6 février: Robert Bourassa déclare que si le Québec ne recevait pas d'offres satisfaisantes de la part du Canada anglais, il pourrait poser aux Québécois la question suivante, dite «question de Bruxelles»: «Voulez-vous remplacer l'ordre constitutionnel par des États souverains associés dans une union économique, responsable à un Parlement élu au suffrage universel?»

7-9 février: Quatrième conférence sur la société distincte à Toronto: on appuie la reconnaissance du Québec comme «société distincte».

11 février: Devant l'Assemblée nationale, Ovide Mercredi déclare que ce sont les Canadiens français, et non les Québécois, qui ont un droit à l'autodétermination.

14-16 février: Conférence finale sur le «Renouvellement du Canada» à Vancouver: le Québec reste sur son appétit.

27 février: Dépôt du rapport Beaudoin-Dobbie après des tractations de dernière minute entre les trois partis fédéraux.

1er mars: Le rapport Beaudoin-Dobbie est rendu public. La population de Bosnie-Herzégovine vote pour son indépendance de la Yougoslavie.

3 mars: Le rapport Beaudoin-Dobbie est qualifié de «fédéralisme dominateur» par Robert Bourassa.

11 mars: L'Assemblée nationale se prononce dans une très grande majorité contre le rapport Beaudoin-Dobbie.

12 mars: Début des négociations multilatérales entre les ministres des gouvernements du Canada anglais, y compris ceux des territoires, plus les

	représentants des quatre associations autochtones. Joe Clark repousse de trois mois le dépôt de ses offres.
13-15 mars:	Conférence spéciale sur les questions autochtones à Ottawa.
16 mars:	Robert Bourassa déclare que le Québec ne retournera pas à la table de négociation «pour le moment».
18 mars:	L'Assemblée nationale appuie la position de Bourassa.
19 mars:	Robert Bourassa supplie le Canada anglais de lui soumettre des offres acceptables.
7 avril:	Robert Bourassa ne s'oppose pas à la tenue d'un référendum pancanadien, mais réaffirme que c'est aux Québécois de décider de leur avenir.
8-9 avril:	Négociations multilatérales à Halifax: on accepte le principe de la reconnaissance de la société distincte.
14 avril:	Négociations multilatérales à Ottawa.
18 avril:	Robert Bourassa déclare au quotidien *Le Monde* qu'il a l'intention de faire porter le référendum sur d'éventuelles propositions d'Ottawa, plutôt que sur la souveraineté.
28-30 avril:	Négociations multilatérales à Edmonton: on accepte d'intégrer la «substance de l'accord du lac Meech» au projet de réforme constitutionnelle.
2 mai:	Les 12 pays membres de la Communauté économique européenne et les 7 membres de l'Association européenne de libre-échange créent le plus grand marché du monde, l'Espace économique européen.
3-7 mai:	Robert Bourassa et Gil Rémillard sont en tournée dans l'Ouest canadien.
11-14 mai:	Négociations multilatérales à Vancouver.
15 mai:	Dépôt du projet de loi sur le référendum national à la Chambre des communes.
19-22 mai:	Négociations multilatérales à Montréal: on s'entend pour renforcer les pouvoirs des provinces.

24 mai:	Joe Clark déclare que l'échec des négociations constitutionnelles signifierait la fin du Canada.
25-31 mai:	Négociations multilatérales à Toronto: impasse sur la réforme du Sénat et le droit de veto du Québec.
4 juin:	Adoption par la Chambre des communes de la Loi sur le référendum pancanadien.
8-10 juin:	Les négociations multilatérales officielles se terminent à Ottawa.
14 juin:	Le Parti Égalité rejette la notion de «société distincte» pour le Québec.
24 juin:	Ultimatum de Brian Mulroney aux Canadiens anglais: il fera des offres unilatérales si aucune entente n'est conclue avant le 15 juillet.
7 juillet:	Entente surprise entre Joe Clark et les autres représentants présents aux négociations. Elle comprend un Sénat réformé et la reconnaissance de la société distincte, mais le Québec n'est guère impressionné.
23 juillet:	Les républiques tchèque et slovaque se séparent à l'amiable.
29 juillet:	On apprend que le premier ministre Bourassa a décidé de rencontrer les autres premiers ministres provinciaux du Canada.
4 août:	Robert Bourassa rencontre ses homologues au lac Harrington, dans l'Outaouais, et se justifie en disant qu'il ne s'agit pas de négociations.
10 août:	Au cours d'une deuxième rencontre, Bourassa décèle des signes d'ouverture et accepte de prendre part à des négociations élargies à 17 partenaires.
12 août:	Le Canada, le Mexique et les États-Unis concluent un traité nord-américain de libre-échange.
	Une conférence constitutionnelle est convoquée par Brian Mulroney.
18-22 août:	Les représentants autochtones et des territoires canadiens se joignent aux premiers ministres pour des négociations constitutionnelles à Ottawa. Ils en arrivent à une entente provisoire.

28 août:	Poursuite des négociations à Charlottetown, où on signe un accord de principes connu sous le nom «d'entente de Charlottetown». Annonce d'un référendum, le 26 octobre.
29 août:	Le Parti libéral du Québec adopte l'entente de Charlottetown au cours d'un congrès spécial. Jean Allaire et Mario Dumont quittent les lieux.
2 septembre:	Jean Allaire et Philippe Garceau de la direction du Parti libéral annoncent qu'ils feront campagne pour le NON lors du référendum sur l'entente de Charlottetown.
3 septembre:	Début du débat sur les modifications à la loi 150 qui prévoyait un référendum sur la souveraineté du Québec.
4 septembre:	La question du référendum sera: «Acceptez-vous que la Constitution du Canada soit renouvelée sur la base de l'entente conclue le 28 août 1992?»
8 septembre:	Adoption par l'Assemblée nationale de la loi qui fera porter le référendum du 26 octobre sur l'entente de Charlottetown.
9 septembre:	Le premier ministre Getty de l'Alberta annonce sa démission, mais fera campagne pour le OUI.
10 septembre:	Preston Manning du Reform Party annonce qu'il fera campagne pour le NON.
14 septembre:	Mario Dumont, président de la Commission jeunesse du PLQ, militera pour le NON.
16 septembre:	L'Assemblée nationale adopte la question référendaire.
20 septembre:	51 % des Français approuvent le traité de Maastricht.
25 septembre:	La Banque Royale lance son étude catastrophiste sur les conséquences de la séparation du Québec.
1er octobre:	Pierre Elliott Trudeau prononce à la Maison Egg Roll un discours anti-Charlottetown intitulé «Ce gâchis mérite un gros NON!»
6 octobre:	Débat entre Jean Chrétien et Lucien Bouchard à l'émission *Le Point*.

7 octobre: Le premier ministre Brian Mulroney signe l'Accord de libre-échange nord-américain à San Antonio, Texas.

9 octobre: Publication du texte juridique de l'entente de Charlottetown.

12 octobre: Débat télévisé entre Robert Bourassa et Jacques Parizeau.

16 octobre: Les chefs de l'Assemblée de Premières Nations refusent d'endosser l'entente de Charlottetown, pourtant négociée par Ovide Mercredi.

19 octobre: Le leader du Yukon, Tony Penikett, est défait aux élections générales.

26 octobre: L'entente de Charlottetown est rejetée, tant au Canada anglais qu'au Québec.

30 octobre: Joe Ghiz annonce qu'il quittera son poste de premier ministre de l'Île-du-Prince-Édouard.

1er novembre: L'ex-ministre libéral Michel Pagé trouve intéressante la notion de souveraineté-association.

5 novembre: Sharon Carstairs, qui avait milité contre l'accord du lac Meech, quitte son poste de chef du Parti libéral du Manitoba.

11 novembre: Le gouvernement fédéral rejette les demandes du Québec dans le domaine de la formation de la main-d'œuvre.

12 novembre: Référendum sur la création du territoire de Nunavut: la population majoritairement inuite l'approuve.

26 novembre: Mario Dumont remet sa démission comme président de la Commission jeunesse du PLQ.

4 décembre: L'assemblée législative du Nouveau-Brunswick adopte une résolution approuvant l'enchâssement dans la Constitution de la clause de l'égalité des deux communautés linguistiques de la province.

5 décembre: Ralph Klein devient chef du Parti conservateur de l'Alberta.

9 décembre: Jean Allaire quitte le Parti libéral du Québec.

1993

1er janvier: Entrée en vigueur de l'accord qui crée la République tchèque et la Slovaquie, à partir de la Tchécoslovaquie.

1er février: La Chambre des communes entérine la réforme constitutionnelle sur l'égalité des communautés linguistiques du Nouveau-Brunswick.

24 février: Brian Mulroney annonce sa démission comme premier ministre et chef du Parti progressiste-conservateur du Canada.

4 mars: La Cour suprême décrète que les Franco-Manitobains ont le droit de gérer leur propre réseau scolaire.

Élection du gouvernement libéral de Catherine Callbeck à l'Île-du-Prince-Édouard.

15 avril: On dévoile un projet de superstructure à souveraineté partagée qui avait été préparé par un comité du Parti libéral du Québec au moment où on craignait de ne pas obtenir d'offres du Canada anglais.

3 mai: Réélection du gouvernement libéral de Clyde Wells à Terre-Neuve.

6 mai: Dépôt par le gouvernement Bourassa du projet de loi 86 qui modifie la Charte de la langue française en permettant l'affichage bilingue.

25 mai: Élection du gouvernement libéral de John Savage en Nouvelle-Écosse.

13 juin: Élection de Kim Campbell à la tête du Parti conservateur, dans un vote serré contre Jean Charest.

15 juin Élection d'un gouvernement majoritaire conservateur dirigé par Ralph Klein en Alberta.

17 juin: Adoption à l'Assemblée nationale de la loi 86 qui légalise l'affichage commercial bilingue.

25 juin: Kim Campbell devient la première femme premier ministre du Canada.

18 août: Le président de la Commission royale d'enquête sur les peuples autochtones affirme que le droit «inhérent» des autochtones est déjà inscrit dans la Constitution canadienne.

8 septembre: La première ministre du Canada, Kim Campbell, déclenche des élections fédérales.

14 septembre: Le premier ministre du Québec, Robert Bourassa, annonce son retrait de la politique.

25 octobre: Élections fédérales. Gouvernement majoritaire libéral. Jean Chrétien devient premier ministre du Canada. Grâce à sa domination au Québec, Lucien Bouchard du Bloc Québécois est chef de l'opposition officielle. Le Reform Party est second au Canada anglais. Le Parti conservateur et le Nouveau Parti démocratique perdent leur qualité de parti officiel à la Chambre des communes.

14 décembre: Daniel Johnson succède à Robert Bourassa comme chef du Parti libéral.

24 décembre: Le Québec et l'Ontario signent un accord commercial.

1994

11 janvier: Daniel Johnson succède à Robert Bourassa comme premier ministre du Québec.

17-19 janvier: Ouverture de la 35e Législature canadienne. Le Discours du Trône porte sur les engagements des libéraux. Lucien Bouchard prononce un discours souverainiste à la Chambre des communes.

19 janvier: Le parti de Jean Allaire et Mario Dumont, l'Action démocratique du Québec (ADQ), est officiellement inscrit par le directeur général des élections du Québec.

25 janvier: Le député libéral Yvon Lafrance joint les rangs de l'ADQ.

21 février: Élection partielle dans Bonaventure, les péquistes ravissent l'ancienne circonscription de Gérard-D. Levesque aux libéraux.

23 février: Le gouvernement fédéral annonce la fermeture du Collège militaire royal de Saint-Jean.

2-3 mars: Lucien Bouchard, chef de l'opposition officielle à la Chambre des communes, visite New York et Washington.

1er mars: L'ex-premier ministre Brian Mulroney promet de se battre aux côtés des fédéralistes si un référendum sur la souveraineté se tient au Québec.

14 mars: En Colombie-Britannique, la moitié du caucus créditiste passe au Reform Party provincial.

24-25 mars: Lucien Bouchard fait la promotion de son autobiographie à Toronto.

13 avril: Jean Chrétien qualifie de «caprices» les demandes du Québec dans le domaine de la main-d'œuvre.

28 avril: Jean Allaire quitte la direction de l'Action démocratique du Québec, pour des raisons de santé.

2-3 mai: Lucien Bouchard visite Vancouver et Calgary pour expliquer la démarche souverainiste.

3 mai: Le Québec et l'Ontario signent un accord commercial de réciprocité qui vise les entrepreneurs des deux provinces.

16-20 mai: La visite de Lucien Bouchard à Paris et à Bruxelles soulève l'ire du Canada anglais.

17 mai: Le ministre canadien des Affaires indiennes, Ron Irwin, promet aux autochtones du Québec qu'ils ne seraient pas abandonnés advenant l'indépendance.

24 mai: Jean Chrétien affirme que le consentement d'Ottawa sera nécessaire pour que le Québec devienne souverain, mais que lui-même se plierait à la volonté de la majorité des Québécois s'ils disent OUI à une question claire.

24 juillet: Daniel Johnson annonce la tenue d'élections générales au Québec.

16 août: Au congrès mondial acadien, Jean Chrétien affirme que ce n'est qu'au sein du Canada que les francophones pourront s'épanouir en Amérique du Nord.

24 août: Une étude de l'Institut Fraser trace un portrait catastrophiste de l'économie d'un Québec souverain.

29 août: Le premier débat électoral télévisé en 32 ans au Québec met aux prises Jacques Parizeau et Daniel Johnson.

13 septembre: Élections au Québec. Gouvernement majoritaire péquiste. Jacques Parizeau devient premier ministre et Daniel Johnson, chef de l'opposition. Mario Dumont est le seul député élu de l'Action démocratique du Québec.

19 septembre: Lucien Bouchard affirme que le référendum doit être reporté si les souverainistes veulent le gagner.

13 octobre: Les autochtones du Québec affirment que si le Québec peut se séparer du Canada, leurs territoires peuvent aussi être séparés du Québec. Le gouvernement du Québec répond en réaffirmant le principe de l'intégrité territoriale du Québec.

22 novembre: Discours de Jacques Parizeau au Canadian Club à Toronto.

29 novembre: Le discours inaugural du Gouvernement du Québec est muet sur la question nationale. Lucien Bouchard est hospitalisé en raison d'une infection à streptocoques de type A.

6 décembre: Dévoilement à l'Assemblée nationale de l'avant-projet de loi sur la souveraineté du Québec.

13 décembre: Les autochtones du Canada demandent l'intervention du gouvernement du Canada pour mettre en échec le projet de souveraineté du Québec et affirment qu'ils le contesteront si le OUI l'emporte au référendum.

1995

24-27 janvier: Jacques Parizeau est en visite officielle à Paris. Jacques Chirac réaffirme son appui à la décision du Québec, quelle qu'elle soit.

13 février: Au cours d'une élection partielle, le Bloc Québécois perd la circonscription de Brome-Missisquoi mais augmente sa part du vote.

23 février: Dans un discours à Ottawa, le président américain Bill Clinton réitère la préférence des États-Unis pour un Canada uni.

Le retour à la vie publique de Lucien Bouchard est marqué par une rencontre avec le président des États-Unis.

7-9 avril: Réunis en congrès, les militants du Bloc Québécois endossent le «virage» amorcé par leur chef Lucien Bouchard: la souveraineté devra s'accompagner d'une offre d'association avec le Canada.

25 avril: Réélection du gouvernement conservateur de Gary Filmon au Manitoba.

5 mai: Mario Dumont, chef de l'ADQ, publie *La nouvelle union Québec-Canada*, un document qui décrit les principes de fonctionnement d'institutions communes.

6 juin: Élection du gouvernement conservateur de Mike Harris en Ontario.

12 juin: Les chefs du Parti Québécois, du Bloc Québécois et de l'Action démocratique du Québec paraphent une entente sur le projet souverainiste et la stratégie référendaire.

16 juin: Le rapport du Groupe de travail du Bloc Québécois sur l'union économique et les institutions communes décrit dans le détail les éléments que pourrait contenir un partenariat entre le Québec souverain et le Canada.

19 juin: Publication d'un sondage CROP réalisé au Québec entre la fin de mars et le début d'avril à la demande du gouvernement du Canada: 54 % des répondants sont favorables à un Québec politiquement souverain dans une union avec le Canada.

21 juin: Réélection du gouvernement néo-démocrate de Roy Romanow en Saskatchewan.

30 juin: Un sondage CROP réalisé à la mi-juin donne l'option souverainiste, telle qu'elle est définie dans l'entente Parizeau-Bouchard-Dumont, en avance avec 52 % après répartition des indécis.

Table

Autres titres déjà parus dans
la collection «Études québécoises» dirigée par
Robert Comeau

ASSEMBLÉES PUBLIQUES, RÉSOLUTIONS ET DÉCLARATIONS DE 1837-1838, présentées par Jean-Paul Bernard et l'Union des écrivains québécois

Raoul Blanchard, édition préparée et présentée par Gilles Sénécal, MONTRÉAL: ESQUISSE DE GÉOGRAPHIE URBAINE

Robert Boivin, HISTOIRE DE LA CLINIQUE DES CITOYENS DE SAINT-JACQUES (1968-1988)

André-G. Bourassa et Jean-Marc Larrue, LES NUITS DE LA «MAIN». CENT ANS DE SPECTACLES SUR LE BOULEVARD SAINT-LAURENT (1891-1991)

Anita Caron (dir.), FEMMES ET POUVOIR DANS L'ÉGLISE

Pierre Alfred Charlebois, LA VIE DE LOUIS RIEL

Robert Comeau (éd.), MAURICE SÉGUIN, HISTORIEN DU PAYS QUÉBÉCOIS, VU PAR SES CONTEMPORAINS, suivi de LES NORMES

Robert Comeau, Daniel Cooper et Pierre Vallières (dir.), FLQ: UN PROJET RÉVOLUTIONNAIRE

Robert Comeau et Bernard Dionne, LE DROIT DE SE TAIRE. HISTOIRE DES COMMUNISTES AU QUÉBEC, DE LA PREMIÈRE GUERRE MONDIALE À LA RÉVOLUTION TRANQUILLE

Claude Corbo, MON APPARTENANCE. ESSAI SUR LA CONDITION QUÉBÉCOISE

Bernard Dagenais, LA CRISE D'OCTOBRE ET LES MÉDIAS: LE MIROIR À DIX FACES

Bernard Dansereau, L'AVÈNEMENT DE LA LINOTYPE: LE CAS DE MONTRÉAL À LA FIN DU XIXe SIÈCLE

Roch Denis (éd.), QUÉBEC: DIX ANS DE CRISE CONSTITUTIONNELLE

Jean-Marie Fecteau, UN NOUVEL ORDRE DES CHOSES: LA PAUVRETÉ, LE CRIME, L'ÉTAT AU QUÉBEC DE LA FIN DU XVIIIe SIÈCLE À 1840

Pierre Fournier, AUTOPSIE DU LAC MEECH. L'INDÉPENDANCE EST-ELLE INÉVITABLE?

Alain-G. Gagnon et Mary Beth Montcalm, QUÉBEC: AU-DELÀ DE LA RÉVOLUTION TRANQUILLE

Alain-G. Gagnon et François Rocher (dir.), RÉPLIQUES AUX DÉTRACTEURS DE LA SOUVERAINETÉ DU QUÉBEC

Gilles Gougeon (dir.), HISTOIRE DU NATIONALISME QUÉBÉCOIS. ENTREVUES AVEC SEPT SPÉCIALISTES

Denis Goulet, HISTOIRE DE LA FACULTÉ DE MÉDECINE DE L'UNIVERSITÉ DE MONTRÉAL (1843-1993)

Denis Goulet et André Paradis, TROIS SIÈCLES D'HISTOIRE MÉDICALE. CHRONOLOGIE DES INSTITUTIONS ET DES PRATIQUES (1639-1939)

Donald Guay, INTRODUCTION À L'HISTOIRE DES SPORTS AU QUÉBEC

Jean-Guy Lacroix, LA CONDITION D'ARTISTE: UNE INJUSTICE

Georges-Émile Lapalme, POUR UNE POLITIQUE. LE PROGRAMME DE LA RÉVOLUTION TRANQUILLE

Guy Lapointe (dir.), SOCIÉTÉ, CULTURE ET RELIGION À MONTRÉAL XIXe-XXe SIÈCLE

Jean-Marc Larouche, ÉROS ET THANATOS SOUS L'ŒIL DES NOUVEAUX CLERCS

Yves Lavertu, L'AFFAIRE BERNONVILLE. LE QUÉBEC FACE À PÉTAIN ET À LA COLLABORATION (1948-1951)

André Laurendeau, JOURNAL TENU PENDANT LA COMMISSION ROYALE D'ENQUÊTE SUR LE BILINGUISME ET LE BICULTURALISME

Claude-V. Marsolais, LE RÉFÉRENDUM CONFISQUÉ

Claude-V. Marsolais, Luc Desrochers et Robert Comeau, HISTOIRE DES MAIRES DE MONTRÉAL

Sylvie Murray et Élyse Tremblay, CENT ANS DE SOLIDARITÉ. HISTOIRE DU CONSEIL DU TRAVAIL DE MONTRÉAL 1886-1986 (FTQ)

Robin Philpot, OKA: DERNIER ALIBI DU CANADA ANGLAIS

Jean-Marc Piotte, LA COMMUNAUTÉ PERDUE. PETITE HISTOIRE DES MILITANTISMES

François Rocher (dir.), BILAN QUÉBÉCOIS DU FÉDÉRALISME CANADIEN

Guy Rocher, ENTRE LES RÊVES ET L'HISTOIRE. Entretiens avec Georges Khal

Merrily Weisbord, LE RÊVE D'UNE GÉNÉRATION. LES COMMUNISTES CANADIENS, LES PROCÈS D'ESPIONNAGE ET LA GUERRE FROIDE

CET OUVRAGE
COMPOSÉ EN PALATINO 11 POINTS SUR 13
A ÉTÉ ACHEVÉ D'IMPRIMER
LE VINGT-HUIT SEPTEMBRE
MIL NEUF CENT QUATRE-VINGT-QUINZE
PAR LES TRAVAILLEURS ET TRAVAILLEUSES
DES PRESSES DE L'IMPRIMERIE GAGNÉ
À LOUISEVILLE
POUR LE COMPTE DE
VLB ÉDITEUR.

IMPRIMÉ AU QUÉBEC (CANADA)